20世紀の主な美術潮流

●シンクロミズム（57頁）

1913 年、アメリカ人画家のモーガン・ラッセルとスタントン・マクドナルド＝ライトにより提唱された美学であり、「同時」を意味する接頭語「シンクロ」と、「色」を意味する「クロム」から成る造語である。鮮やかな色彩と抽象的な様式で描かれた絵画を特徴とする。

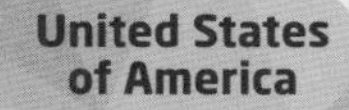

●メキシコ壁画運動（57頁）

メキシコ革命以降、先住民文化を内包する新たな社会を目指すようになった国家の理念にならうかたちで、1920 年代初頭以降に発展した壁画運動。市庁舎や学校といった公的施設の壁に、先住民も含めたメキシコの土着の文化や歴史をテーマとした絵を描く傾向にあった。

●ヴォーティシズム（61頁）

「渦巻派」を意味するイギリスの前衛運動であり、第一次世界大戦直前のロンドンで形成された。詩人であり画家でもあったウィンダム・ルイスを中心とするグループであり、機関誌『ブラスト』を刊行した。未来派やキュビスムから着想を得た、幾何学的な様式や機械のダイナミズムの表現を特徴とするものの、イギリス独自の前衛文化を形成することを共通の目標としていた。

●新造形主義（66頁）

オランダの画家ピート・モンドリアンが、キュビスムから着想を得つつ到達した抽象主義美学を説明するために提唱した理論。線の方向を水平と垂直に限定し、色彩も三原色および無彩色のみを配することによって、絵画構成における秩序や均衡を目指した。1917 年に、モンドリアンがドゥースブルフらと創刊した『デ・ステイル』誌は、そうした理論を培う発端となったばかりでなく、建築やデザインといった分野へとその理論を応用する可能性をも切り拓いた。

●フォーヴィズム（6頁）

1905年秋のサロン・ドートンヌに展示された、強烈な色彩と激しいタッチの風景画を描く芸術家の作品群に対し、批評家ルイ・ヴォークセルが「フォーヴ」という呼び名を与えたことに端を発する絵画様式。アンリ・マティスはその中心的な存在であった。

●キュビスム

ジョルジュ・ブラックやパブロ・ピカソをその創始としながら、さまざまな芸術家たちにより展開された20世紀前半の絵画・彫刻運動の総称。対象を幾何学的図形に還元して描くことを共通の特徴とするが、実際には一つの流派におさまらない多様な芸術様式や技法を生み出した。

●純粋主義（64頁）

シャルル＝エドゥアール・ジャンヌレ・グリ（後のル・コルビュジエ）とアメデ・オザンファンが提唱した美学。キュビスムの幾何学的実験をより合理的に解釈し、新しい造形的な実験に結び付けることを目指した。

●シュルレアリスム（63頁）

フランスの詩人アンドレ・ブルトンが1924年に発表した『シュルレアリスム宣言』に共鳴した詩人や芸術家たちのグループ、および彼らが展開した様々な詩的・芸術的実践の総称。夢や無意識のイメージの作用に注目した創作活動を行った。日本語にすると「超現実主義」となるが、そこで問題となる「現実」とは何か、「超える」ということが何を意味するのかについては、各々の作品や実践に即して考える必要がある。

●アール・デコ様式（70頁）

1925年にパリで開かれた「現代装飾美術・産業美術国際博覧会」（通称アール・デコ博）にちなんで名付けられた、パリを中心とする20世紀前半の装飾様式。「1925年様式」とも言われる。その実用的で単純な幾何学的デザインは、有機的なモチーフや曲線的装飾を特徴とする世紀末のアール・ヌーヴォーと対照的なものとして捉えられることも多いが、実際には両者が密接に結び付いている点も注目されている。

●抽象－創造（68頁）

テオ・ファン・ドゥースブルフやオーギュスト・エルバン、ジョルジュ・ファントンゲルローらの1920年代の活動を起源としながら、1931年に正式に結成されたグループ。その名称からもわかる通り、抽象主義を追求する芸術家たちが集結した。参加メンバーの国籍は様々であり、彼らは文化的背景の違いを超越するような抽象芸術の普遍性を目指した。グループには岡本太郎も参加している。

もっと知りたい キュビスム

松井裕美 著

東京美術

はじめに

キュビスムという芸術運動や、それを牽引したピカソという画家の名前を聞くと、難しくて理解できない芸術を想像する方は、多いかもしれません。

しかしだからこそ、なぜキュビスムの芸術家たちがすぐには理解できないものを作ろうとしたのか、難解な作品を通して芸術家たちが実現しようとしていたことが何なのかと、考えてみると楽しい問いがいくつも浮かんできます。

キュビスムが生まれた時代には、すでに多くの前衛的な実践と、近代の科学技術の進歩からも着想を得た革新的な芸術理論がありました。そうした実践と理論は、新しいものを求める芸術家と、新しいものを評価するコレクターや画商、批評家との間に形成されていたネットワークのなかで培われ、次々に未曾有の挑戦的芸術を生み出してきました。キュビスムもまた、そうした運動の一つとして誕生し、発展していきます。

キュビスムの難解さを理解するヒントとなるのが、まず彼らの芸術理論を知ること、次に彼らを取り巻くネットワークを知ることの二つになります。彼らの作品のロジックを知ることができると、今度は、作品に秘められた芸術家の思考を読み取るだけでなく、そうした理論からだけでは捉えられないような個々の作品の情緒もまた、感じ取ることができるようになるかもしれません。また作品を取り巻く人々がどのようにキュビスムをサポートしていたのかを知ることができると、この新しい芸術の情熱に圧倒された同時代の人々の気持ちを想像することができるようになるはずです。

この本では、そうした作品を取り巻く理論やネットワークの理解の補助となるよう、できるだけ様々な芸術家を扱い、さらに芸術家をサポートした詩人や批評家、画商、コレクター、キュビスムと関係した諸運動についても触れました。

キュビスムの生みの親は、モンマルトルを活動拠点にしていたピカソや、ピカソと親交の深かったブラックであることが、一般には知られています。しかし実際には、彼らの取り組みから刺激を受けながら複数のキュビスムの拠点が同時期に形成され、様々なキュビスム様式を展開していました。さらにキュビスムの芸術家たちは、同時期に他の地域や国の都市で発生した前衛運動にも触れ、互いに影響を与えていくことになります。キュビスム自体、そうしたなかで変化を遂げていきます。キュビスムの主流は、絵画作品ではありますが、実際には彫刻や建築、家具、テキスタイルとも関係していました。

もしかするとその多様性ゆえ、捉えどころのなさを感じて戸惑う方もいらっしゃるかもしれません。難しさと捉えどころのなさへの戸惑い、それは目の前にある作品について考えるための第一歩にもなります。どうしてある作品が難しく感じられるのか。そこに潜んでいる挑戦や戦略とは正確には何なのか。この作品をキュビスム的であると呼ぶことのできる根拠は何なのか。キュビスム作品と、「キュビスム風」の作品の境界線は何なのか。この本を読み終えた後、実際の作品と対話しながら、こうした問いに取り組んでみることは、読者のみなさんがそれぞれにより深くこの芸術について理解するためのきっかけにもなります。

もちろんそうしたやり方とは異なる楽しみ方もできます。キュビスムとは、最終的にはパリという都市の魅力を凝縮したような芸術でもあります。当時のパリは世界中から芸術家が集まる国際都市でした。彼らはそれぞれにお気に入りのカフェやバーに集まって、お気に入りのお酒を飲みながら、風変わりな芸術家たちや詩人たちと交際し、ときには冗談も言い合いながら、芸術談義に花を咲かせ、まだ見ぬ新たな芸術の地点を目指して切磋琢磨していました。彼らの作品の多くは、カフェの音楽、グラスに注がれる発泡酒、社会のアクチュアリティを伝える新聞、トランプ、最新のファッションの断片で満ち満ちています。また街に溢れる騒音やエッフェル塔や工場の煙が、ゴシック聖堂や未開発のパリ郊外の自然とともにある奇妙な風景も、作品として描かれました。キュビスム作品とは、それらの混成的な断片が奏でるモダンなシンフォニーなのです。まずはこのシンフォニーに、ゆったりと身を預けることも、実際の作品から得られる楽しみの一つです。

しかし本書を読んだ後には、同時に、そこから次のような広がりをイメージすることができるようになるはずです。このシンフォニーを奏でているのは、パリという街や、そのなかで生きていた芸術家たちだけでなく、キュビスムを取り巻く作り手以外の多様な人々であり、そうした活気を遠隔地へと伝える雑誌媒体の複製図版と美術批評であり、それらに触れながらパリの熱気を夢見る世界中の人々の想像力である、と。

そして私が最後に加えたいのは、キュビスムというモダンなシンフォニーを完成させるのに欠かせない楽器の一つが、鑑賞者である私たち自身の想像力であるということです。この本が、読者であるみなさまのなかで、想像力という楽器を奏でる一つのきっかけとなることを、願っています。

松井裕美

アルベール・グレーズ《浴女たち》(部分、24頁)

CONTENTS

【凡例】
●作品情報は原則として、作家名、作品名、制作年、技法、材質、寸法（縦×横）、所蔵先の順で記載しています。
●作品情報は所蔵先の定めたものや慣例を参考にし、著者の判断に基づいています。

はじめに …… 2

第1章 キュビスム誕生 …… 6

パブロ・ピカソ …… 8
ジョルジュ・ブラック …… 15
マリー・ローランサン …… 19
アンドレ・ドラン …… 20

第2章 様々な芸術家たち …… 22

アルベール・グレーズ／ジュリエット・ローシュ …… 24
ジャン・メッツァンジェ …… 26
アンリ・ル・フォーコニエ …… 27
デュシャン一家　ジェック・ヴィヨン、レイモン・デュシャン＝ヴィヨン、マルセル・デュシャン、シュザンヌ・デュシャン …… 28
パリ西部のキュビストたちの拠点 …… 32
フェルナン・レジェ／ナディア・レジェ …… 34
ソニア・ドローネー／ロベール・ドローネー …… 36
フアン・グリス …… 39
オーギュスト・エルバン …… 40
アンドレ・ロート …… 41
キュビスムの彫刻家たち …… 42
マリア・ブランシャール …… 44
セルジュ・フェラ／エレーヌ・エッティンゲン …… 45
レオポルド・シュルヴァージュ …… 46
アリス・バイイ …… 47

第3章

キュビスムの普及と多様化 …… 48

キュビスムとイタリアの前衛 …… 50
キュビスムとドイツの前衛 …… 51
キュビスムとロシアの前衛 …… 52
キュビスムのアメリカ大陸上陸 …… 56
チェコのキュビスム …… 58
キュビスムと第一次世界大戦 …… 60
キュビスムとヴォーティシズム …… 61
キュビスムとダダ …… 62
アメデ・オザンファン、ル・コルビュジエと『キュビスム以降』 …… 64
デ・ステイルとキュビスム …… 66
キュビスムと抽象芸術 …… 68
1925年の博覧会とアール・デコ様式 …… 70
1937年の博覧会とキュビスムの壁画 …… 72
キュビスムと日本 …… 76

COLUMN

column 01 「洗濯船」の画家と詩人たち …… 18
column 02 キュビスムの初期コレクターたち …… 21
column 03 キュビスムと伝統 …… 33
column 04 キュビスムとファッション …… 38
column 05 現実を超える現実？ …… 63

本書掲載の芸術家（生没年） …… 78
掲載作品索引（作家別50音順） …… 79

キュビスム誕生

19世紀後半、フランス・パリで活動していたパブロ・ピカソと
ジョルジュ・ブラックの新たな実験的挑戦を契機に誕生した前衛芸術キュビスムは、
認識の構造を覆す実験的挑戦だった。

パブロ・ピカソ
《アヴィニョンの娘たち》
1907年　油彩、カンヴァス
243.9×233.7cm
ニューヨーク近代美術館

女性たちの頭部には、オセアニア彫刻（向かって左端の女性）や古代イベリア彫刻（中央で腕を振り上げる二人の女性）を思わせる図式化、アフリカの仮面（右二人）のような歪曲した表現が認められる。その難解さとエロティックな主題から、批評家アンドレ・サルモンは、この作品を「哲学的娼婦宿」と呼んだ。

パリに芽吹いた実験的挑戦

一九世紀後半に前衛文化の中心地となったパリでは、野心的な芸術家たちがヨーロッパ中から集まった。彼らは新たな表現の作品を次々に発表し、公衆を驚かせた。一八八四年に独立派の芸術家たちのために設立され、毎年春に開催された展示会サロン・デ・ザンデパンダンでは、ジョルジュ・スーラをはじめとする新印象派の絵画が披露された。一九〇五年にはアンリ・マティスらが激しいタッチと色彩の対比を特徴とする作品を描いてサロン・ドートンヌ（前衛的傾向を持つ芸術家のために一九〇三年に設立され、毎年秋に開催される展示会）に展示し、「野獣たち」（フォーヴ）と呼ばれた。

キュビスムもまた、新しいものを生み出そうとする前衛の息吹のなかで生まれた。ただしその端緒を作ったパブロ・ピカソ（8頁）とジョルジュ・ブラック（15頁）は、公衆にひらかれたサロンではなく私営のギャラリーを中心に作品を展示しており、そのことがいっそう、彼らの実験に秘儀的な印象を与えていた。

一九〇七年にピカソが制作した《アヴィニョンの娘たち》は、キュビスムの始まりを告げる作品である。幾何学的な体つきとデフォルメ（歪曲）された頭部を持つ五人の裸婦が、遠近法に欠ける室内空間のなかにいる。射抜くようにこちらに注がれた女性たちの眼差しは、伝統的な美に対しピカソが仕掛けた攻撃的な挑戦を、観客である私たちにも振り向けるかのようだ。当時彼の作品を目にすることができた者にとって、ピカソが非西洋の芸術からインスピレーションを得ることで西洋的な規範に反旗を翻そうとしていたことは明らかだった。とりわけ「黒人芸術」（アール・ネーグル）と当時呼ばれていた、アフリカやオセアニアからもたらされた仮面や彫像などの造形物は、ピカソのキュビスム的実験の一つの重要な着想源となった。

もちろんキュビスムには、ピカソより前の時代に活躍した西洋の芸術家からの影響もある。そのなかでも重要な位置付けにあるのが、ポスト印象派の画家、ポール・セザンヌである。彼は線遠近法を用いず、代わりに複数の視点から捉えたモチーフを同一画面上に統合するやり方で風景や静物を描いた。セザンヌはまた、印象派の筆触分割から出発しながらも、「構成的筆触」（17頁）や「パサージュ」（17頁）と呼ばれる独特の技法を創出し、人物や静物、自然のモチーフをデフォルメして描いた。

これらの描出法をキュビスム的実験に応用し新たな表現を模索したのが、ピカソと並ぶキュビスムの創始者ジョルジュ・ブラックである。彼はセザンヌ的な技法を、よりデフォルメされた幾何学的な風景や人物像のうちに適用した。ブラックはそうした作品をサロン・ドートンヌに出品しようとしたが、審査で落選し、結局ドイツ人画商ダニエル＝ヘンリー・カーンヴァイラーの画廊で開催された個展で展示した。同展を訪問した批評家ルイ・ヴォークセルが展覧会評においてブラックの作品のうちに「立体」を見出し揶揄したのをきっかけに、「立体派」（キュビスム）という呼称が定着することになる。

Photo:©Fine Art Images / AGE Fotostock / Cynet Photo

ジョルジュ・ブラック《家々と木》

1908年　油彩、カンヴァス　40.5×32.5cm　リール美術館

1908年の個展に展示された作品の一つ。図式化されたモチーフのそれぞれの面は構成的筆触で彩られ、部分的にパサージュが施されることで、謎めいた空間構成となっている。このため幾何学的な印象が強いこの作品のなかに、実際には厳密な幾何学的な整合性を見出すことができないという矛盾が生じている。

ポール・セザンヌ《大水浴》

1894-1905年　油彩、カンヴァス
127.2×196.1cm
ナショナル・ギャラリー、ロンドン

「構成的筆触」と呼ばれるセザンヌの技法は、集積することである種のダイナミズムを感じさせる面を形成する。こうして構成的筆触により形成された各々の切り子状の面を区切る境界は、「パサージュ」と呼ばれる技法によって曖昧にされ、事物の輪郭や空間構成に、独特の揺らぎを与える効果を発揮している。

パブロ・ピカソ

1881 - 1973

PABLO PICASSO

パブロ・ピカソ《女性胸像》

1909年　油彩、カンヴァス　100.3×81.3cm　ファン・アッベ市立美術館、アイントホーフェン(オランダ)

肘掛け椅子に座る裸婦のモデルは、当時ピカソの恋人だったフェルナンド・オリヴィエに違いないが、クリスタル状に幾何学化されたその身体は、その髪型以外には個人的な特徴を一切示しておらず、極度に匿名化されている。オルタ・デ・エブロ滞在中の実験の成果をもとに、パリのアトリエで描かれた作品。

近代美術を象徴する絵画《アヴィニョンの娘たち》

前衛画家ピカソの誕生

一八八一年に地中海沿岸のスペインの街マラガで生まれたピカソは、幼少期より画才を発揮し、ア・コルーニャ美術学校とバルセロナのラ・リョッジャ美術学校で学んだ後、一八八七年にはマドリードのサン・フェルナンド美術アカデミーに入学した。アカデミックな技法を学ぶ傍ら、ピカソはカタルーニャ地方の中心都市バルセロナの前衛芸術運動にも参加した。やがて一九〇〇年に初めてパリを訪れたのを機に、パリとバルセロナを往復する生活を始め、一九〇四年にはパリのセーヌ川右岸に位置するモンマルトルのラヴィニャン通り十三番地に住み始めた。

この間彼の作風は大きく変化した。主に寒色を用いながら低層階級の人々を描いた一九〇一年から一九〇三年の作品は、「青の時代」として知られている。この時彼が制作していた、平面的な彩色や濃い色で強調された輪郭を特徴とし、どこか謎めいた象徴性を帯びた作品のなかには、ポスト印象派の画家ポール・ゴーガンからの影響をうかがわせるものもある。一九〇四年から一九〇六年には一転して暖色系の色づかいが認められるようになる。サーカスの親子や裸の男女の様子を、柔らかく闊達な輪郭線で描いたこの時期の作品群は、「薔薇色の時代」と呼ばれる。

「薔薇色の時代」が終わりに差し掛かる頃には、《アヴィニョンの娘たち》（6頁）の予兆となるような作品が描かれ始める。ある空間の片隅に裸の男女が集う一九〇六年の油彩作品《ハーレム》（クリーヴランド美術館）のエロティックな主題、古代イベリア彫刻のような図式化された顔を持つ《ガートルード・スタインの肖像》（21頁）、土色に塗られた、がっしりとした体つきと図式化された顔を持つ《二人の女性》（一九〇六年、ニューヨーク近代美術館）。それらはやがて、《アヴィニョンの娘たち》という、二〇世紀美術の指標ともなる作品に繋がっていくことになる。

娼館のなかの五人の裸婦を描いた《アヴィニョンの娘たち》については、男性であるピカソが女性に対して抱いていた恐怖や嫌悪が表れているとする解釈もあれば、逆にピカソは、観客に一切の媚びを売らないこの女性たちとともに、美術作品に心地よい美しさを求める者に対して挑戦を突きつけているのだとする解釈もある。いずれにしても、《アヴィニョンの娘たち》のなかの女性たちが発揮する、観客を誘惑しながらも圧倒するその攻撃的な力は、この作品と、それ以前の彼の作品との間に明瞭な一線を画している。ピカソはこの作品の構想中に、パリのトロカデロ宮殿の人類博物館を訪問しており、そこで衝撃を受けたアフリカやオセアニアの造形物との出会いが、前人未踏の造形的冒険へと彼を駆り立てたのである。

セザンヌとの競争的対話とブラックとの共闘

一九〇七年秋には、サロン・ドートンヌでセザンヌの回顧展が開かれ、ピカソはこの画家との対話を新たに開始した。そうして一九〇八年に完成された作品が、《三人の女たち》（エルミタージュ美術館）である。腕を振り上げる裸の女性たちは、《アヴィニョンの娘たち》よりもいっそう激しく幾何学的に図式化された身体を持つのだが、それぞれの幾何学の面は「構成的筆触」と呼ばれるタッチ

パブロ・ピカソ《マンドリンを持った少女》
1910年　油彩、カンヴァス　100.3×73.6cm
ニューヨーク近代美術館
線による解体を推し進めた分析的キュビスムの作品だが、浅浮き彫りのような空間からは、華奢な体つきと豊かな胸を持つマンドリン奏者のシルエットが浮かび上がっている。独特の情緒を湛えたこの絵画は、1909年のサロン・ドートンヌで展示されたバルビゾン派の画家カミーユ・コローの人物画から着想を得ているとされる。

で彩られ、場合によっては「パサージュ」といわれる技法で輪郭が曖昧にされている。このためどこからが彼女たちの身体で、どこからが彼女たちを取り巻く背景なのか、定かではない。無機質な肉体の形状と土色の肌を持つ彼女たちはあたかも、彼女たちを支える大地から分離してきたばかりであるかのように描かれているのだ。

さらに翌年滞在したスペインのカタルーニャ地方の村、オルタ・デ・エブロ（現在のオルタ・デ・サン・ジョアン）では、クリスタル状の幾何学的な分割が進み、まるで背景を成す室内環境や自然の風景と溶け合うかのように、人物や静物が描かれるようになる（8頁）。風景画においても、幾何学的な印象が強調される反面、多視点的なモチーフの把握や、パサージュの過剰なまでの使用により、幾何学による合理的理解が不可能な次元に達している。こうした特徴は、セザンヌの技法を継承しつつも、それを独創的に使用することで、すでに新たなる世代の巨匠として名を馳せていたこの画家に挑戦するものだった。

ただしセザンヌの作品だけが彼の対話の相手だったわけではない。彼が絶えず刺激を受けていたのが、一九〇七年に詩人ギヨーム・アポリネール（18頁）の紹介で知り合ったジョルジュ・ブラックである。彼らの間にあったのは友情だけでなく、互いの命懸けの実験を支え合っているという、芸術家としての尊敬と信頼だった。

一九一〇年以降、ピカソとブラックはともに、線による形態の解体をさらに推し進め、「分析的キュビスム」（17頁）と呼ばれる時期に入る。新印象派やフォーヴィズムのような、キュビスムに先駆けて登場した前衛的なスタイルが、明るい色彩や強烈な色の対比で展示室を埋め尽くしたのとは対照的に、彼らのアトリエで生み出される静物画や人物画は、土色を主にした落ち着いた印象のものだった。またしばしば画面のなかには、新聞の文字や楽譜記号が描かれた。それらは、具象的なモチーフであるにもかかわらず、空中を漂うように描かれたために、画面の抽象性を高める効果を発揮した。

線から面へ、面から立体作品へ

分析的キュビスムの実験をそのまま推し進めれば、純粋なる抽象絵画にたどり着くこともできたのだろうが、ピカソとブラックの目指すものは完全な抽象主義ではなかった。このため一九一二年には大きな方向転換を試みている。この年の五月にピカソは、《藤椅子のある静物》（ピカソ美術館、パリ）において、分析的キュビスム様式で静物を描いた楕円形のカンヴァスにテーブルクロスを糊付けし、その周囲にロープを巻いて額縁の代わりにした。カンヴァスに異物を貼り付けるこうした行為は、「コラージュ」と呼ばれる。現実の事物を取り入れながら、それらを抽象的な表現と戯れさせるという、新たな芸術的実験を開始したのである。さらにピカソは同年、《ギターとグラス》（13頁）のように、線による解体ではなく幾何学的な平面を構築するやり方で静物や人物を描き始めた。それらの平面はときには鮮やかな色彩で彩られており、「総合的キュビスム」（17頁）と呼ばれる様式の重要な特徴となる。

この時期のピカソとブラックによるキュビスムの冒険は、もはや誰にも追いつけないほど遠くに来ていた。新聞紙の文字は、本来は言葉として読むべきものだが、彼ら

Picasso
10

の作品のなかでは事物の影や発泡酒の泡を表現する視覚的な要素となり得る。また木目模様の印刷された紙は、画家のデッサンが加えられると、同時にギターにも背景の壁にもなる。では、その原理を立体にするとどうなるのか。ピカソは一九一二年から一九一四年には、ギターの立体作品（ニューヨーク近代美術館）を制作している。ダンボールや木材、金属の板を組み立てる（「コンストラクション」と呼ばれる）ことで制作されたその全体像は、確かにギターのイメージを私たちに喚起させる。しかし分割され平面に還元された細部は決してギターを模倣するものではない。通常の生活のなかではある形態や素材が現実の事物と結んでいるかに見える一対一の関係を、様々な技法や素材の戯れによって見る者に疑わせることこそ、ピカソのキュビスムのねらいだったのである。

ピカソが解体しようとしたのは、形態や素材と現実の事物との慣習的な関係だけではない。一九一三年末以降には、新印象派の画家たちが光の効果をもたらすために生み出した色彩分割の技法もまた、キュビスム的な実験の素材にした。ピ

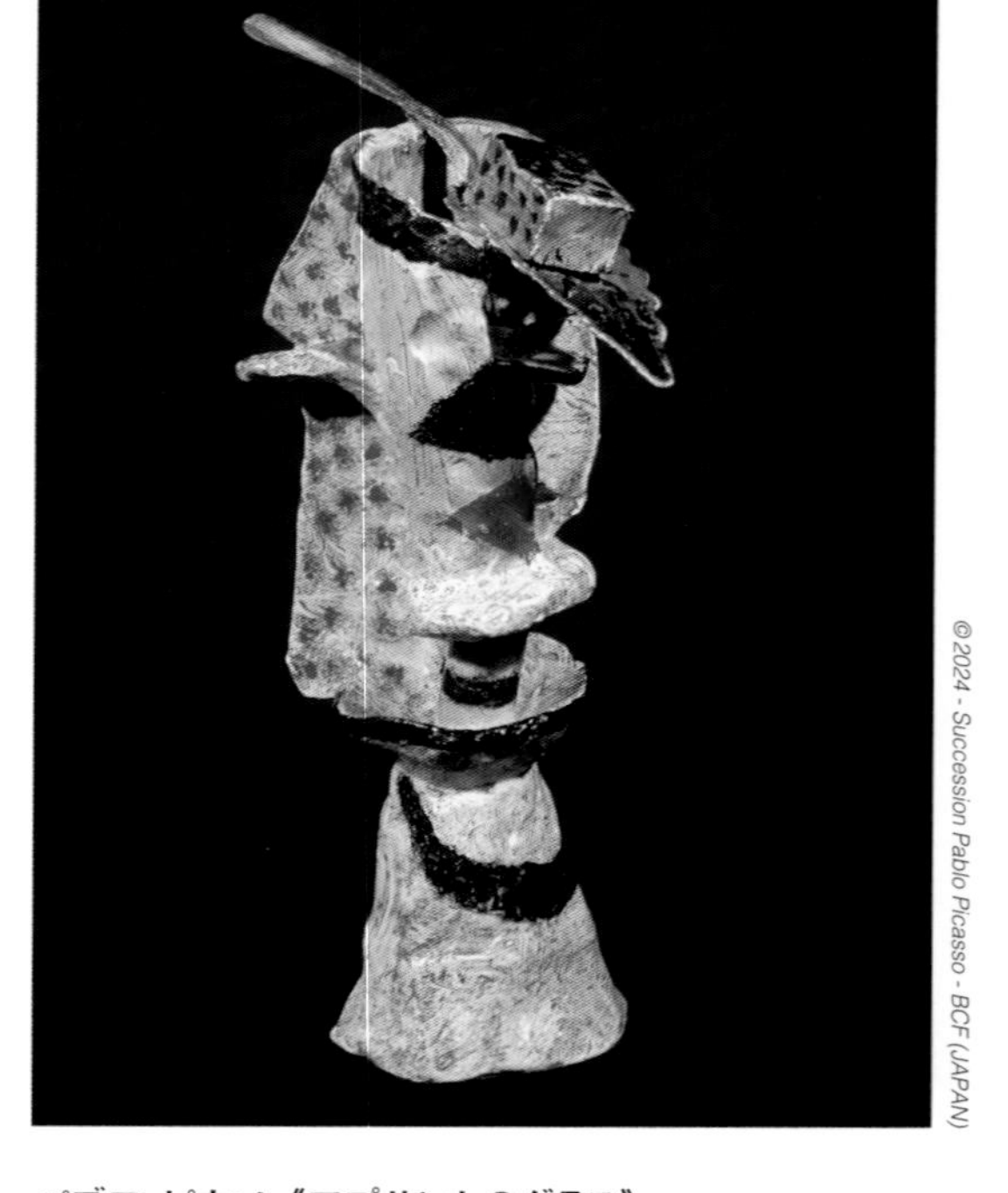

パブロ・ピカソ《アプサントのグラス》
1914年　ブロンズに塗装、スプーン　22×15×7.5cm
ベルリン国立ベルクグリューン美術館

蒸留酒アプサントを入れたグラスの上に専用のスプーンと角砂糖を置くという、日常の事物をモチーフにした、総合的キュビスムの立体作品（「アッサンブラージュ」と呼ばれる）。そのモチーフの選択に加え、スプーンが実物である点、ブロンズに点描技法を含む彩色が施されている点、グラスが空洞にくり抜かれている点は、伝統的な彫刻の概念を覆すものだった。

パブロ・ピカソ《ギター》（コンストラクション）
1914年　鉄板、針金　77.5×35×19.3cm
ニューヨーク近代美術館

通常であれば凹状の丸い穴として表現されるべき部分は凸状の筒で表現され、輪郭は途切れ途切れである。だが全体を見れば、ギターの一部であると認識できる。細部は似ていなくても部分と全体との関係のなかで総合的に対象が何なのかを知覚する私たちの認識のメカニズムを、ピカソはアフリカの仮面の構造的な分析から得た。

カソが自らの絵画や彫刻に施した、新印象派的な点描は、光を表す記号として導入される場合もあれば、服や壁紙の装飾的な模様として描かれている場合もある。

第一次世界大戦が始まり、ブラックが戦場に向かうと、ピカソは孤独な闘いを余儀なくされた。またキュビスム絵画を描く傍ら再現的な素描に回帰する傾向も見せ始め、イタリア旅行を機に始まるとされる一九一七年以降のピカソの「新古典主義時代」へと結び付くことになる。だが認識の構造を探るというキュビスム時代の関心は、表面的な様式の変化を超えて、その後の彼の作品に脈々と受け継がれていく。

パブロ・ピカソ《ギターとグラス》

1912年　コラージュ・木炭、板
47.9×37.5cm
マックネイ美術館、サンアントニオ（アメリカ）

壁紙をベースに、新聞紙や色紙、木目を模した紙、楽譜の一部、ピカソによるコップの素描が貼られている。本作品は、奥行きにも再現性にも欠けていながら、それでもなお、私たちにギターやグラスの存在を認識させる。また、新聞が置かれたテーブルを前にしながら音楽が奏でられるのを聴いている情景を想像することもできる。そのような想像を可能にするものが何なのか、問いかけているようだ。

パブロ・ピカソ《窓辺の静物　サン＝ラファエル》

1919年　ガッシュ・鉛筆、紙　35.5×25cm　ベルリン国立ベルクグリューン美術館

開かれた窓からは青い空と海がのぞく。そこから差し込んだ光は、ベランダの手すりの影を床に落としている。だが潮風を含んだ風がレースのカーテンを揺らしながら入り込んだ先にあるのは、再現性と抽象性の戯れで溢れた室内空間である。キュビスム風のギターとグラス、楽譜が載ったテーブルは、カードのような平面で分割されている。

ジョルジュ・ブラック

1882 - 1963

GEORGES BRAQUE

ジョルジュ・ブラック
《マンドリンを持つ女》
1910年　油彩、カンヴァス
91.5×72.5cm
バイエルン州立絵画コレクション

ブラックが初めて楕円形のカンヴァスを使用して制作した分析的キュビスムの人物画。モチーフの幾何学的解体に伴い、その周囲（とりわけ四隅）に余白ができるために、楕円形を導入したと考えられる。他方では、楕円形に枠取られた肖像画が流行したロココ時代の絵画のパロディーとしても解釈できる。ピカソもまたこの取り組みに触発され、1912年には楕円形の絵画を制作している。

早熟な若者を刺激した前衛

一八八二年にアルジャントゥイユ（フランス）で生まれ、ノルマンディー地方の港町ル・アーヴルで育った。父親のシャルル・ブラックはペンキ屋を経営していたが、印象派的な風景画を制作する日曜画家でもあり、一九〇六年にはル・アーヴル近代美術サークルの立ち上げ人の一人であった。サークルの展示会には、アンリ・マティスやアンドレ・ドラン（20頁）といったフォーヴの画家たちとともに、ジョルジュ・ブラックも作品を展示した。

芸術的な家庭環境に恵まれ、ブラックは早くから近代絵画に関心を示した。パリの雑誌に掲載されたトゥールーズ＝ロートレックらの風刺画を毎晩熱心に研究する若者だっ

ジョルジュ・ブラック《J.S.バッハへのオマージュ》

1911-1912年　油彩、カンヴァス　54×73cm　ニューヨーク近代美術館

当時室内装飾にしばしば使用されていた木目模様を、分析的キュビスム様式で描かれた静物のなかに忍び込ませるこの絵画は、あたかも装飾画家として訓練を受けた作者ブラックの過去を告白するかのようだ。他方では、解体されたヴァイオリンから、バロック音楽の作曲家バッハの名を綴るタイポグラフィーが浮かび上がり、キュビスム的実践が音楽的な抽象性を追求するものであることが示唆されている。この作品は、高級芸術と低級芸術という、相反する文化的背景からキュビスムが生まれたことを示しているのである。

た彼は、ル・アーヴル美術高等学校の夜間教室で学び、オトン・フリエスとラウル・デュフィと知り合う機会を得るも、職人養成を目的とした教育に満足することはなかった。一九〇〇年にはパリのモンマルトルに住み始めた（ただし翌年兵役のため一旦パリを離れる）。一九〇三年の秋からはアカデミー・アンベールで学び始め、そこで出会ったマリー・ローランサン（19頁）と友情を深めた。

一九〇五年五月には国立美術学校でレオン・ボナの指導を受けるも、その教育方針に不満を募らせていたブラックに衝撃を与えたのが、同年のサロン・ドートンヌで展示されていたマティスやドランらのフォーヴィズム絵画だった。ブラックやフリエス、デュフィもすぐにフォーヴの実験的な取り組みに感化され、フォーヴィズム風の作品を描き始めた。翌年には、サロン・ドートンヌに展示されていた南仏の巨匠セザンヌの作品や、その死（サロン開催中に没する）、ドランが同展に出品していた南仏の街レスタックの風景画（セザンヌも度々その風景を描いている）に触発され、ブラックもまた同年の秋以降レスタックに滞在し絵画制作に励んだ。この時からすで

に、彼の作品にはマティスのフォーヴィズムとは一線を画すような幾何学的な構図が顕著に認められるようになる。一九〇七年秋頃からは、構成的筆触の導入によりそうした幾何学的構図に独特のダイナミズムが加えられた。翌年にカーンヴァイラー画廊で展示されたブラックの作品は、これらの実験の成果であった。

ピカソとの邂逅を経て加速するキュビスム的実験

ブラックがピカソと出会うのは、カーンヴァイラー画廊での展示の一年ほど前だった。彼は一九〇七年の冬、詩人ギヨーム・アポリネールの案内によりピカソのアトリエに足を踏み入れた。ピカソの《アヴィニョンの娘たち》と、制作途中の《三人の女たち》を目にして衝撃を受けたブラックは、それ以降足繁くピカソやその周囲の芸術家たちとの集いに通い始める。その後ブラックは、パリだけでなく南仏の街セレやソルグでもピカソの近くで制作し、互いに刺激を与え合いながら、彼とともに、一九一〇年には分析的キュビスム、一九一二年には総合的キュビスムの実験に邁進した。またこの年、ブラックは南仏の街アヴィニョンに滞在中に壁紙屋の店先で目にした木目模様の紙を手に入れて切り抜き、デッサンに取り入れることで、彼の最初のパピエ・コレ（紙片などを支持体に貼り付けたり、ピンで留めたりする技法やその作品）を制作し、すでにコラージュの制作を開始していたピカソにも衝撃を与えている。

一九一四年には第一次世界大戦の前線に向かい、翌年負傷してしばらく絵画制作を断念しているが、一九一七年には回復して制作を再開。同年には『ノール・シュド』誌にアフォリズム形式の絵画論「絵画についての思考と省察」を発表した。また画商レオンス・ロザンベールと新たに契約を結び、戦後のキャリア面と経済面双方の基盤を固めた。一九一九年にロザンベールのレフォール・モデルヌ画廊で開催されたブラックの個展には装飾的傾向を持つキュビスム作品が展示された。画家ロジェ・ビシエールは「秩序の呼び戻し」をしるすものとして、展示作に高評価を示す批評文を寄せた。またこれ以降ブラックは、古典的主題の作品も制作するようになり、戦後の「秩序への回帰」（60頁）と呼ばれる傾向を示す画家たちの一人となる。

ポール・セザンヌ
《大水浴》
（部分、7頁）

【分析的キュビスム】
主に一九一〇～一九一一年にピカソとブラックの作品の特徴となっていた、線によってモチーフを分析する様式のこと。

【総合的キュビスム】
一九一二年以降のピカソとブラックの作品に認められる、幾何学的平面（しばしば鮮やかな色で彩られている）を構築することによりモチーフを表現する様式。

【構成的筆触】
同じ方向に筆触（ストローク）を重ねると、遠目からはそれらがまとまり、傾きを持った平面のように見える。そうした筆触により構成される面が複数並べて描かれると、まるで浅浮き彫りのような表現となる。こうした表現を生み出す筆触のことを、構成的筆触（コンストラクティヴ・ストローク）という。

【パサージュ】
フランス語で「通り道」を意味する言葉。とりわけセザンヌやキュビスムの作品においては、描かれた面と面との境界を筆触により曖昧にし、空間構成の合理的な把握を困難にするような技法を指す。

column 01

「洗濯船」の画家と詩人たち

キュビスム揺籃のアトリエ

ピカソがアトリエにしていたラヴィニャン通り十三番地の建物は、モンマルトルの坂道に建つ木造の粗末な長屋であり、マックス・ジャコブないしはアンドレ・サルモンの命名によって「洗濯船」と呼ばれていた。

ピカソが住み始める前から、この建物は「毛皮猟師の館」という通称で知られており、多くの貧しい芸術家たちや作家たちが暮らしていた。ピカソに先駆けてこの建物に住んでいたスペイン人彫刻家パコ・ドゥリオは、ポール・ゴーガンと親しくしており、ピカソがゴーガンの作品を実際に見ることができたのもドゥリオの部屋においてであった。ピカソの他、一九〇六年からはファン・グリス（39頁）、一九〇九年からはオーギュスト・エルバン（40頁）と、複数のキュビスムの画家が住んだ。他にも、ピカソと親交を結んだ詩人マックス・ジャコブが暮らした。さらにアンドレ・サルモンやギヨーム・アポリネールといった、詩人でありかつ美術批評家としても活動していた人々も集い、互いに刺激を与え合った。

一九〇八年にはピカソが敬愛する画家アンリ・ルソーを招いた宴が催され、ピカソの他、彼の当時の恋人フェルナンド・オリビエやアポリネール、アポリネールの当時の恋人マリー・ローランサン、ピカソ作品のコレクターだった詩人ガートルード・スタイン、スタインの恋人アリス・トクラスといった面々が、ルソーのヴァイオリンの演奏を楽しみながら盃を交わした。

ピカソは「洗濯船」で、革新的なキュビスム絵画の誕生を告げる《アヴィニョンの娘たち》や《三人の女たち》といった絵画を密かに完成させた。また一九〇七年にブラックとの運命的な出会いを果たしたのも「洗濯船」である。こうして、経済的な基盤を固めたピカソが一九〇九年にモンマルトルのクリシー大通りへと引っ越すまで、「洗濯船」と、この場でピカソを取り巻く人々は、キュビスムの萌芽と発展とを目撃することになった。

ギヨーム・アポリネール
（1880-1918）

フランスで活躍した詩人、劇作家、小説家。20世紀初頭の前衛美術の優れた批評家でもあり、キュビスムの擁護者であった。詩集に『アルコール』、『カリグラム』など。第一次世界大戦に従軍し頭部に銃弾を受けるも一命を取り留める。1918年11月、スペイン風邪により急逝した。

マックス・ジャコブ
（1876-1944）

フランスの詩人、小説家。1909年、自室でキリストの出現を体験しカトリックに改宗。ナチスに逮捕され終戦を待たずして収容所で病死した。連作散文詩『骰子筒（さいづつ）』は、「キュビスム文学」とも称された。

アンドレ・サルモン
（1881-1969）

フランスの詩人、小説家、美術批評家。アポリネールやピカソらと交流し、キュビスムの活動にも参加した。回想記『はてなき回想』では、ピカソやモディリアニら当時の画壇や文壇で活躍したアーティストの素顔を伝えている。

マリー・ローランサン

1883 - 1956

MARIE LAURENCIN

マリー・ローランサン《空想好きな女性》
1910-1911年　油彩、カンヴァス　91×73cm
国立ピカソ美術館、パリ

仮面のような頭部には、アンドレ・ドランの水浴図(20頁)を想起させる図式化が施されている。頭のなかで思いを巡らす女性は、ゆったりとした服を着て胸元を露わにし、力なく肘掛け椅子に腰掛けているようでありながら、虚空を見つめるその眼は啓示を受けたかのように、神秘的に大きく見開かれている。ピカソの旧所蔵作。

キュビスムを着想源に画風を確立した女性画家

ローランサンは、一八八三年にパリで生まれ同地で育った、生粋のパリジェンヌだった。幼い頃から絹やビロード、真珠を好んでいたことがその回想録では語られており、彼女が描く肖像画のなかの優美な女性たちも、多くの場合は幼少期の彼女をうっとりとさせたこれらの素材を身につけている。

国立セーヴル製陶所で絵付けを習った後、アカデミー・アンベールで絵画制作の指導を受け、そこでジョルジュ・ブラックと知り合う。また同じ時、画商アンリ=ピエール・ロシェとも出会い、彼の支援のもと、画家としてのキャリアを固めた。一九〇七年には、クロヴィス・サゴの画廊で知り合ったピカソの仲介により、ギヨーム・アポリネールと出会い、やがて恋人同士になった。これ以降「洗濯船」の常連の一人となった。

キュビスムに着想を得ながらも、優美な曲線と物憂い表情を持つ人物を、淡い色彩で軽やかに、ときに透き通るような質感を添えて描き出す彼女の作風は、たちまち話題となった。一九一〇年に描いた《乙女たち》(ストックホルム近代美術館)は、翌年画商ヴィルヘルム・ウーデがドイツで開催した彼女の初の個展で展示され、富豪ロルフ・ド・マレに売却された。一九一三年にはパリの画商ポール・ロザンベールだけでなく、デュッセルドルフの画商アルフレート・フレヒトハイムとも、それぞれ契約を結んだ。またニコル・グルーと友情を深めたことをきっかけに、グルーの兄のポール・ポワレやその師匠ジャック・ドゥセなど、新たな時代のファッション・デザイナーたちが彼女の作品の買い手となった。

第一次世界大戦後には肖像画家としての名声を高め、淡いパステルカラーを使用して、花や穏やかな動物たちを伴う女性たちを多く描いた。独特の形式美へと高められたローランサン独自の表現が、ときには注文主の嗜好にそぐわないこともあった。一九二三年に描かれた《マドモワゼル・シャネルの肖像》(オランジュリー美術館)が、完成後にシャネルからの受け取りを拒否されたことはよく知られている。

アンドレ・ドラン

1880 - 1954

ANDRÉ DERAIN

フォーヴの代表的画家における通過点としてのキュビスム

ドランの画業のなかで、キュビスム的な絵画を描いていた時期は限られているが、初期キュビスムの展開においては重要な位置付けにある。パリ郊外の街シャトゥーで生まれた彼は、将校かエンジニアになってほしいという両親の期待をよそに、高校卒業後はルーヴル美術館に通い模写をした。またアカデミー・カミーヨで画家ウジェーヌ・カリエールの指導を受け、そこでアンリ・マティスと出会う。一九〇四年にはマティスも通ったアカデミー・ジュリアンで学んでいる。

この頃から彼は、マティスやモーリス・ド・ヴラマンク（アトリエを共有していた画家）と同様に、フォーヴィズムの予兆となるような激しいタッチと色彩のコントラストを特徴とする絵画を制作し始めた。

アンドレ・ドラン《浴女たち》
1908年　油彩、カンヴァス　180×230cm　プラハ国立美術館

セザンヌの水浴図からの影響が色濃く感じられるこの作品には、構成的筆触が多用されている。穏やかな表情の５人の浴女は、ピカソの《アヴィニョンの娘たち》のような攻撃性を持っていない。自然との調和というテーマやキリスト教の洗礼式すらも想起させるこの絵画は、1910年にプラハで展示された後、この街の近代芸術家団体によって買い取られた。

アンドレ・ドラン《浴女たち》
1907年　油彩、カンヴァス　132.1×195cm　ニューヨーク近代美術館

1907年のサロン・デ・ザンデパンダンに、マティスの《青いヌード ビスクラの思い出》（ボルティモア美術館）とともに出品され、スキャンダルとなった作品。女性の頭部は仮面のように図式化され、身体もまた幾何学的なブロックで分割されている。左端の女性の鮮明な赤色と青色の背景の対比にはマティスの影響が認められるが、キュビスムへの移行もまた顕著に認められる。

一九〇五年には、マティスとともに滞在した南仏の街コリウールで制作した絵画をその年のサロン・ドートンヌで展示し、「フォーヴ」（野獣たち）と呼ばれた。またその年の暮れまでにはピカソにも出会い、翌年にはは自らもモンマルトルにアトリエを構えて「洗濯船」をしばしば訪れた。

セザンヌの作品やアフリカ・オセアニアの造形物、ピカソとの対話を重ねるなかで、一九〇七年の春にはキュビスム風の図式的表現を特徴とする水浴図を描き始める。《アヴィニョンの娘たち》を制作中のピカソにトロカデロ博物館へ行くよう勧めたのも彼である。一九一〇年にはピカソとともにスペインのカタルーニャ地方に位置する村カダケスに滞在し、分析的キュビスムの風景画を描いた。

だが第一次世界大戦前には再現的な作風へと回帰する傾向を見せ始め、従軍後にはキュビスム時代の作品の多くを自ら破棄してしまった。第二次世界大戦中にはナチスのプロパガンダの一環として企画されたドイツ訪問に参加したこともあり、終戦後にはフランス政府の対独協力者粛清委員会により罰則が課せられている。

column 02

キュビスムの初期コレクターたち

新芸術への感受性豊かな人々

キュビスムという難解なスタイルの絵を、まだその価値も認められぬうちに購入したコレクターたちとは、どのような人々だったのだろうか。

最初に挙げられるのは、新たな文化の担い手であることを意識した詩人や画家、デザイナーたちである。セザンヌやマティスの作品を収集していたことで知られるスタイン兄妹のうち、ピカソやグリスのキュビスム作品の熱心なコレクターとなったのは、妹のガートルード・スタインだった。アメリカ生まれの彼女は心理学者ウィリアム・ジェームズに影響を受けた前衛的な詩人であり、一九〇三年から十四年の間、兄のレオとともにパリのモンパルナスで暮らし、キュビスムの誕生と発展の目撃者の一人となった。その他に、キュビスムの画家フランク・ビュルティ・アヴィランや、ロッホ・グレイの筆名で活動した詩人エレーヌ・エッティンゲン(45頁)、新時代の身体美を提案するファッションを提案したポール・ポワレやジャック・ドゥセといったデザイナーも、キュビストたちの作品を購入している。

新時代の様々な領野を牽引する熱意に溢れた外国のコレクターも、キュビスムを含むパリの美術の新動向に関心を抱いた。帝政ロシア時代の実業家セルゲイ・シチューキンとチェコの美術史家ヴィンチェンク・クラマーシュも、早くからキュビスム作品を買い求めたコレクターとして知られている。

そうした新たな需要に注目し、リスクを恐れず、新規の顧客の開拓に熱意を燃やす画商たちも、キュビスム作品の重要な買い手であった。そうした画商のなかには、ダニエル・ヘンリー=カーンヴァイラーや、アルフレート・フレヒトハイム、ヴィルヘルム・ウーデなど、ドイツ出身者が多い。生粋のパリジェンヌであったベルト・ヴェイユも、自身の画廊でキュビスム作品の売買や展示に寄与した。第一次世界大戦が始まり、ドイツ人画商たちが商業活動の休止をやむなくされると、新たにロザンベール兄弟が業界に参入し、キュビストたちや、戦後の「秩序への回帰」をしるすような作品を取り扱うようになった。

パブロ・ピカソ
《ガートルード・スタインの肖像》
1905-1906年
油彩、カンヴァス
100×81.3cm
メトロポリタン美術館、ニューヨーク

様々な芸術家たち

第2章

ピカソとブラックによって端緒が開かれたキュビスム芸術は、
多くの芸術家たちを刺激した。美的価値観のみならず、
同時代の科学や思想までも取り込みながら多様な作品が生み出されていった。

前衛的な実験を披露し合い、独自の美学を磨き上げる

ピカソとブラックがキュビスムの創出時にモンマルトルに活動拠点を置いていたのに対し、デュシャン兄弟（28頁）やアルベール・グレーズ（24頁）、ジャン・メッツァンジェ（26頁）、アンリ・ル・フォーコニエ（27頁）、フェルナン・レジェ（34頁）、ロベール・ドローネー（36頁）、フランシス・ピカビアといったその他のキュビストたちは、モンパルナスを含むパリ西部を活動拠点とした。またピカソとブラックがもっぱら画廊で展示したのに対し、パリ西部の芸術家たちは、一九一一年からサロン・デ・ザンデパンダンやサロン・ドートンヌといった公共性が強い場で、同じ部屋に展示し、パリの公衆の注目の的となった。彼らはまた、一九一二年には「黄金分割」展を開くなど、グループとしての活動を展開した。

ただし彼ら一人一人の作風は極めて多岐にわたっている。彼らの集団としての活動は、特定の派閥を形成するためというよりも、個々人の前衛的な実験を披露し合い、ときに励まし合い、ときに競い合わせることを目的としたものであった。

「キュビスム」という用語は、最初は彼らの前衛的な試みを揶揄するために用いられたが、まもなくこうした芸術家たちの向こう見ずな造形的実験を讃える呼称となる。さらにアンドレ・サルモンやモーリス・レイナル、ギヨーム・アポリネールなど、彼らの活

動を支援する批評家たちの著述は、キュビスム作品の多様性を明確にしながら、その難解な芸術作品に共通する知的な側面を明らかにしようとした。グレーズとメッツァンジェの共著による一九一二年の著書『キュビスムについて』も、キュビスト自身による理論的なマニフェストとして重要であり、各国語に翻訳された。

彼らの多くは、セザンヌをはじめとするポスト印象派や、マティスのフォーヴィズム、あるいはジョルジュ・スーラの新印象派など、一八八〇年代以降次々に登場する新たな芸術的動向を吸収し、ピカソやブラック、ドランの最新の動向にも刺激を受けながら、各々個別の段階を経てキュビスム様式にたどり着くことになる。

彼らが共有したものは、活動の場や技法的な関心にとどまらない。同時代に彼らを取り巻いていた科学や思想もまた、共通の着想源だった。彼らは、一九世紀に新たに提唱され、キュビストたちの友人でもあった数学者モーリス・プランセが彼らに紹介した、非ユークリッド幾何学や四次元といった数学的概念を、自らの幾何学的表現に引き付けて理解しようとした。さらに彼らは、数学史研究者シャルル・アンリの著述をとおして一八八〇年代以降にフランスの芸術家の間に広まっていた「黄金分割」の数式にも多大なる関心を寄せた。彼らはまた、生理学者エティエンヌ＝ジュール・マレーや写真家エドワード・マイブリッジの連続写真が提供する、運動の科学的分析への関心を共有していた。さらに思想家アンリ・ベルクソンが論じた時間の概念や「生の躍動」の議論をもとに、独自の美学を展開した。

1912年の
サロン・ドートンヌの
展示風景。

【「黄金分割」展】

一九一二年にボエシー画廊で開催された展覧会であり、ピュトー派やモンパルナスのキュビストたちが参加した。当時彼らは、数学的な値で示される完璧な美の基準である「黄金分割*」に魅了されていた。この言葉をタイトルに冠した同展は、彼らの美学がいかに知的なものであるのかを人々に宣言するものだった。一九二〇年と二五年にも、第二回・三回「黄金分割」展が開催されている。

＊数式 $\frac{1+\sqrt{5}}{2}$ で表される比率

アルベール・グレーズ／ジュリエット・ローシュ

1881 - 1953 / 1884 - 1980

ALBERT GLEIZES

アルベール・グレーズ《浴女たち》

1912年　油彩、カンヴァス　105×171cm　パリ市立近代美術館

19世紀末以来急速に工業化が進みつつあったパリ西部のクールブヴォワを背景に、水浴する女性たちの姿を描いた作品であり、自然のなかの牧歌的な人間の生活と近代都市との調和をテーマにしている。1912年のサロン・デ・ザンデパンダンと「黄金分割」展の双方で展示された。

「黄金分割」展の中心的人物

アルベール・グレーズは、メッツァンジェとともに出版した『キュビスムについて』（一九一二年）をはじめとし、生涯にわたってキュビスムについての理論的著述を記し、その理解と普及に一役買った画家である。

グレーズはパリで家具デザインのアトリエを経営していた父（とりわけテキスタイルの模様が専門）のもと一八八一年に生まれ、幼い頃から詩作に励んでいたが、十八歳から父親のアトリエに弟子入りし、芸術制作の手解きを受けた。最初は印象派風の作品を描く傍ら、ルネ・アルコスといった詩人たちとの交流を深め、一九〇七年にはアルコスや詩人シャルル・ヴィルドラックらとともに、パリ東部の郊外クレテイユで共同生活を行うようになった。彼らはまるで中世の修道士のように、世間から隔絶された生活を送りながらともに寝泊まりし、生きていく上で最低限必要な資金を得るために印刷業を営む生活を送った。ただし、自分たちの棲家を「クレテイユ僧院」と呼ぶその理想主義的な生活は長くは続かず、一年足らずでグループは解散した。

JULIETTE ROCHE

クレテイユ僧院の解散後、グレーズはキュビスムの萌芽を示唆する直線的な作風の絵画を描き始め、一九〇九年にはル・フォーコニエのキュビスム作品に感銘を受けている。それ以降彼は、サロン・デ・ザンデパンダンとサロン・ドートンヌでキュビスム作品を展示するようになり、一九一二年には「黄金分割」展の企画でも中心的な役割を担った。

グレーズは一九〇五年に兵役を経験したことをきっかけに反軍国主義者となったが、他方では愛国主義者でもあり、キュビスムをフランス的な伝統の系譜のなかで理論化しようとする保守的な一面があった。彼はまた第一次世界大戦従軍後に滞在したニューヨークでキリスト教信仰に目覚め、宗教的な主題の作品を、キュビスムから独自に展開した抽象様式で描くようになる。また一九二七年には、リヨン近郊の街ザブロンのローヌ川畔の土地を借り入れ、さらに一九三四年には同地を買い取り、「モリー・サバタ」と呼ばれる芸術家の集合的な居住地を作った。そこで彼は中世的な僧院生活を理想とする芸術家村を実現しようとした。

一八八四年にパリで生まれ、グレーズと一九一五年に結婚したジュリエット・ローシュも、キュビスム風の絵画を描く画家であり、「ニューヨーク・ダダ」（62頁）の運動に参加した詩人でもあった。一九〇六年頃からナビ派風の作品をサロン・デ・ザンデパンダンに展示し始める。グレーズと結婚してから数年間は、キュビスムの幾何学的表現からの影響を強く感じさせる人物画や静物画を描いている。平和主義やフェミニズムを推進する政治活動にも参与した。

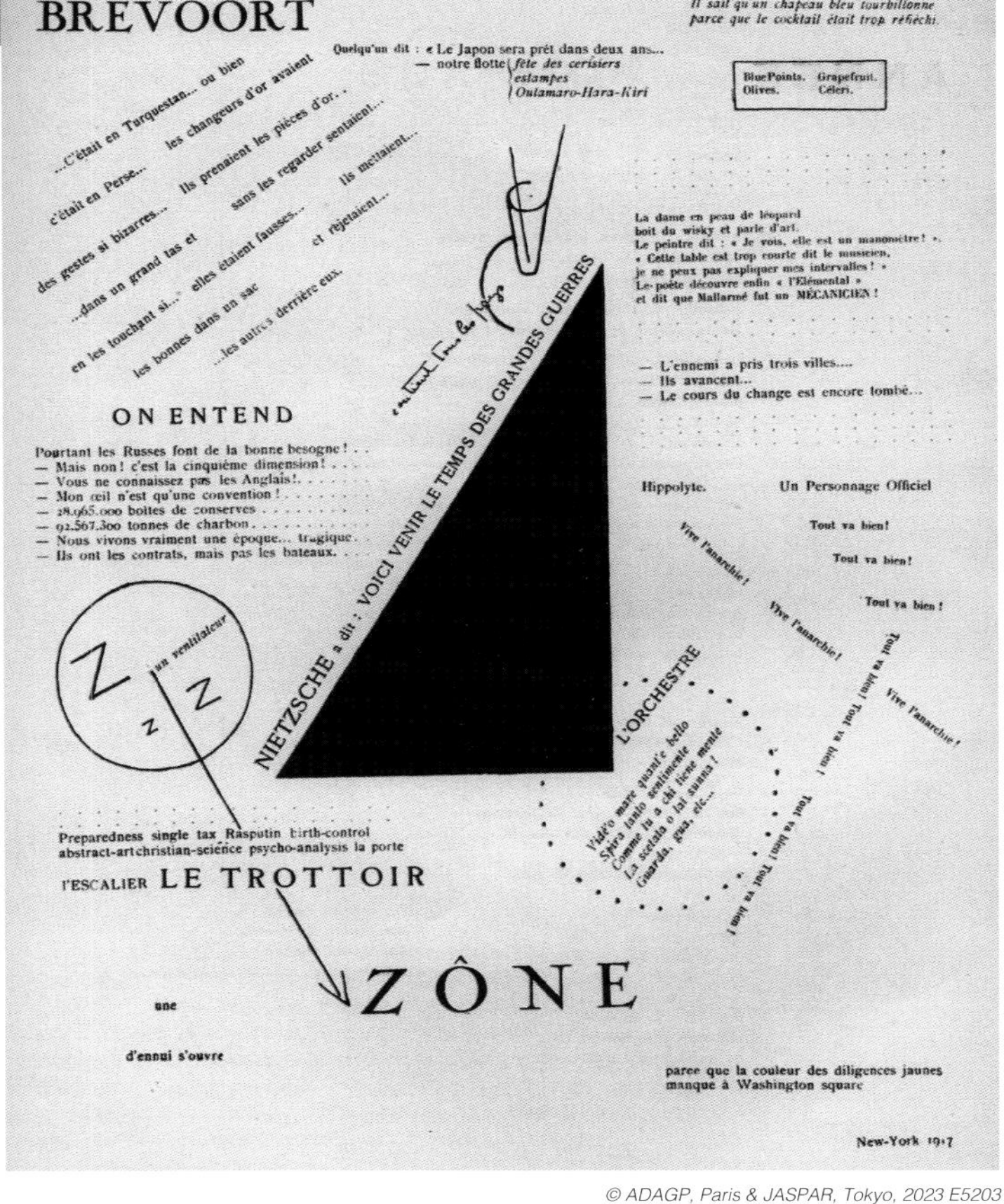

ジュリエット・ローシュ「ブレヴート」
詩集『半円』(1920年)に掲載された詩

1917年にニューヨークのブレヴート・ホテルで繰り広げられた会話で構成された紙面。日本やロシア、イギリスへの言及など、国際情勢を語る会話に加え、ステファヌ・マラルメの詩や抽象芸術についての芸術談義も断片的に取り入れられている。ヨーロッパの戦況と乖離したニューヨークの芸術家の集いに、ローシュは違和を感じていた。

ジャン・メッツァンジェ

1883 - 1956

JEAN METZINGER

ジャン・メッツァンジェ《カフェの踊り子》
1912年　油彩、カンヴァス　146.05×114.3cm
オルブライト=ノックス美術館、バッファロー

分析的キュビスムの影響を強く受けた、色彩を抑えたキュビスム絵画を制作していた1910〜11年を除き、メッツァンジェの作品は鮮やかな色彩を特徴としている。本作では、女性たちが身につけているドレスのレースやテキスタイルの幾何学模様、帽子にあしらわれた鮮やかな青色の鳥の羽、そして花束の可愛らしい花々が、キュビスム様式のなかから浮かび上がっている。

キュビスム運動の理論派

ブラックとピカソがモンマルトルのキュビスムを推し進めた二人組だとすれば、パリのキュビスムを理解するもまた、パリのキュビスムを理解する上で重要な二人組である。彼らはキュビスムを理論化する文章を多く残し、一九一二年には共著で『キュビスムについて』を出版した。美術教育に対し熱心であったことも共通しており、メッツァンジェは一九一二年からはアカデミー・ド・ラ・パレットで教鞭をとっている。

メッツァンジェは一八八三年にナントで生まれ、地元のアカデミーで肖像画家イポリット・トゥーロンの指導を受けた。一九〇三年には初めてサロン・デ・ザンデパンダンに出品した作品が画商たちの注目を集め、同年パリに移住する。一九〇六年にはロベール・ドローネーと、翌年には詩人マックス・ジャコブを通じてアポリネールやピカソと出会う。

また一九〇八年にはウーデの画廊のグループ展で、ブラックやピカソ、ドラン、サラ・ステルン（後のソニア・ドローネー）、オーギュスト・エルバン（40頁）ら、その後キュビスムの画家として名を馳せる人々とともに作品を展示している。それまで新印象派風の絵画を描いていたメッツァンジェがキュビスム絵画を思わせる幾何学表現に関心を示すのはこの頃からだ。さらに一九一〇年頃、詩人アレクサンドル・メルスローの紹介で出会ったグレーズとメッツァンジェは、レジェやドローネーらとル・フォーコニエのアトリエに集まり、グループとしてのキュビスム運動を本格的に開始した。

第一次世界大戦に従軍後、一九一六年にはキュビスム作品の制作を再開し、画商レオンス・ローゼンベールという新しい後ろ盾を得た。戦後は総合的キュビスム風の静物画や風景画を多く描いたが、一九二二年からは人物や静物が再現的に描かれるようになり、「秩序への回帰」と呼ばれる同時代の傾向の一端を担うことになる。

アンリ・ル・フォーコニエ

1881 - 1946

HENRI LE FAUCONNIER

アンリ・ル・フォーコニエ《豊穣》
1910年　油彩、カンヴァス　146.5×98cm　ストックホルム近代美術館
前景には林檎の収穫を享受する母子が描かれる。裸の姿の彼らは、まるで文明化以前の人間、あるいはアダムとイヴが知恵の実を食したことで始まるキリスト教の原罪以前の人間のようだ。しかし後景には街が描かれ、文明化された人間の生活の気配がする。自然と人間(文明)との融和というユートピア的なヴィジョンを、キュビスム的な幾何学様式により描いた作品である。

国際的な「新世代の巨匠」

一八八一年に医者の父のもとフランス北部パ゠ド゠カレー県に生まれ、一九〇〇年にはパリに上京し法律と政治学を学ぶも、絵画の道に進むべくアカデミー・ジュリアンに通い始める。一九〇六年頃からはドランやマティスのフォーヴィズム、ポール・セリュジエやモーリス・ドニの象徴主義に影響を受け、翌年にはキュビスムの萌芽を思わせる抽象化された輪郭でモチーフを描き始めた。

さらに一九〇八年、詩人アレクサンドル・メルスローの紹介で、グレーズを含むクレテイユ僧院の人々と知り合った。これ以降火曜日の夜には、しばしば彼らとともに、モンパルナスのカフェ、クロズリー・デ・リラで、詩人ギュスターヴ・カーンとポール・フォールが主催する会合に参加した。キュビスム運動をともに推進することになる仲間とも、この会合で顔を合わせるようになった。

ル・フォーコニエが本格的なキュビスム様式の作品を描き始めるのは一九〇九年からであり、一九一〇年にはグレーズやメッツァンジェ、ドローネーらとともにキュビスム的な実験を推し進めた。彼は国際的にも活躍し、ドイツの「青騎士」(51頁)のメンバーと交流した。また一九一一年のイタリア旅行では伝統絵画の習作を描くなど、古典的な一面もある。

一九一一年には、サロン・デ・ザンデパンダンの第四十一室が、ル・フォーコニエを含むキュビストたちの作品で埋め尽くされるというスキャンダラスな事件が起こる。当時、同サロンの作品を並べる係の責任者を務めていたル・フォーコニエは、事件の火付人の一人であったと考えられている。またグレーズは、同年の文章のなかで、彼のことを「新世代の巨匠」と称えており、ル・フォーコニエがモンパルナスを活動拠点としたキュビスムのグループのなかでも中心的な役割を担っていたことがうかがえる。実際彼は、執筆活動や教育活動によりキュビスムの普及に貢献した。一九一二年には、肖像画家として成功したジャック・エミール・ブランシュから、アカデミー・ド・ラ・パレットの学長の座を引き継ぎ、教育に携わっている。

デュシャン一家

（ジャック・ヴィヨン／レイモン・デュシャン＝ヴィヨン、マルセル・デュシャン／シュザンヌ・デュシャン）

1875 - 1963 / 1876 - 1918 / 1887 - 1968 / 1889 - 1963

JACQUES VILLON

ジャック・ヴィヨン《行進中の兵士たち》

1913年　油彩、カンヴァス　65×92cm　国立近代美術館、パリ

歩く兵士の動きを、連続する抽象的な線により表現する本作には、生理学者エティエンヌ＝ジュール・マレーの連続写真からの影響が認められる。幾何学的な印象が強い作品ではあるが、淡い桃やオレンジ、紫、水色、そして深い青と黒を配した本作には、独特の情緒も感じられる。

キュビスムの芸術一家

ノルマンディー地方のブルジョワ家庭に生まれたデュシャン兄弟は、素描家の母と版画家の祖父を持ち、幼い頃より芸術に親しむ家庭で育った。キュビスムの画家である長男のジャック・ヴィヨン（本名ガストン・エミール・デュシャン）と、キュビスム風の彫刻を制作した次男のレイモン・デュシャン＝ヴィヨン（本名ピエール＝モーリス＝レイモン・デュシャン）は、最初はそれぞれ法学と医学を大学で学ぶという口実でパリに上京したのだが、やがて芸術家としての道を志すようになった。

一九〇六年にジャックがアトリエ兼居住地を構えたピュトーのルメートル通り七番地に、翌年にはレイモンも越してきた。また兄たちを追って芸術家になるべく一九〇四年に上京した三男マルセル・デュシャンも、ピュトー近郊のパリ西側に位置するヌイイ＝シュル＝セーヌに住むようになった。アカデミー・ジュリアンに通いながら、トゥールーズ＝ロートレック風の風刺画を描いて生計を立てていた兄ジャックにならい、マルセルも同アカデミーで学び、風刺画家として画業を開始した。妹の

RAYMOND DUCHAMP-VILLON

レイモン・デュシャン＝ヴィヨン
《キュビスムの家》
1912年　国立近代美術館、パリ

レイモン・デュシャン＝ヴィヨン
《大きな馬》
1914年（鋳造1955年）ブロンズ
100×55×95cm
国立近代美術館、パリ

幾何学的に単純化されデフォルメされた馬の頭部に、機関車のタービンの構造から着想を得た機械的な部位を接続することで、走る馬のダイナミズムを表現した作品。第二次世界大戦の直前に石膏模型として成形され、作者の死後に兄弟の許可のもと大きく拡大された完成ヴァージョンが鋳造された。

シュザンヌもまた画家を志してルーアンの美術学校で学び、第一次世界大戦を期にパリに移住する（パリの病院で看護師として働いている）まではルーアンを活動拠点にした。

彼らはみなキュビスム運動に関わったが、その経緯や期間は様々である。ジャックは一九一一年頃から、キュビスム的な幾何学的抽象化を版画や絵画作品のなかで試みるようになった。その後彼は生涯にわたってキュビスム的な実験を独自に展開し、抽象と具象の間を行き来するスタイルの版画と絵画を制作した。とりわけ彼の油彩画は色彩豊かなものが多く、戦後のフランスの抽象絵画にも大きな影響を与えた。

独学で彫刻を学んだレイモンは、最初はロダン風の彫刻を制作していたが、やがて簡素な輪郭を特徴とする人物像を制作し始め、一九一二年頃から幾何学的な要素の構築と歪曲を特徴とする彫刻を制作するようになった。第一次世界大戦に従軍し、リウマチ熱を患ったことがきっかけで、一九一八年に没する。

ジャックとレイモンのピュトーのアトリエは、ル・フォーコニエの会合と並んで、パリ西部を活動拠点とするキュビスムの中心地であった。

マルセル・デュシャン《階段を降りる裸体　No.2》
1912年　油彩、カンヴァス　147×89.2cm　フィラデルフィア美術館
タイトルの通り、階段を降りる裸体の身体の動きを連続する抽象的な線で捉えた作品である。エティエンヌ＝ジュール・マレーやエドワード・マイブリッジの連続写真から着想を得ていると考えられる。抑えられた色調には分析的キュビスムからの影響が認められる。

ジャックは一九〇四年から、レイモンは一九〇七年から、サロン・ドートンヌの役員となったこともあり、一九一一年のサロン・ドートンヌで第七・八室にキュビストたちの作品をまとめて展示した際に、重要な役割を担っていたと考えられている。また一九一二年にグレーズらとともに企画した「黄金分割」展については、そのコンセプトを構想するにあたってジャックが大きな役割を果たした。一九一二年のサロン・ドートンヌでは、レイモンは画家アンドレ・マールが指揮をとる「キュビスムの家」という企画のために、家のファサードをデザインし、その模型（29

SUZANNE DUCHAMP

頁）を展示している。

マルセルはフォーヴィズムの影響を感じさせる絵画制作の後、一九一一年頃からキュビスム風の作品も描くようになる。しかし彼がキュビスム絵画を制作していたのはごく限られた期間だった。一九一二年のサロン・デ・ザンデパンダンで、グレーズらの反対もあって彼の《階段を降りる裸体 No.2》の展示を取りやめるという出来事があった。この作品は「黄金分割」展では展示されたものの、マルセルはこの頃からキュビスムと距離を置くようになる。一九一五年には渡米し、その二年後には同地の展覧会で男性用便器を《泉》というタイトルで出品しようとしてスキャンダルを起こしている。ニューヨークから妹のシュザンヌに送った手紙のなかで、彼は、パリのアトリエに置かれたままになっている「レディメイド」（既製品）にサインを代筆するよう依頼した。今日、既製品を用いたマルセルの芸術実践が「レディメイド」と呼ばれるようになった由来である。

やがて「ニューヨーク・ダダ」と呼ばれる運動を展開したマルセルやピカビアから触発を受け、シュザンヌと、戦時中に彼女と出会い伴侶となった画家ジャン・クロッティもまた、キュビスムから離れ、第一次世界大戦後にはパリのダダ運動に関わることになる。

シュザンヌ・デュシャン《犬を連れた少女》

1912年　油彩、カンヴァス　92×73cm
国立近代美術館、パリ

タイトルによると少女は１人、犬は１匹のはずだが、実際には４匹の白い犬が、同じ服を着た２人の少女（立ったまま本を読む少女と、うずくまる少女）を取り囲んでいる。また赤い花が生けられた花瓶は90度回転している。犬と少女が過ごす、複数の時間の異なる状態の室内の様子が、空間の上下の秩序を無視するかたちで一画面にまとめられているのだ。

ジャン・クロッティ《お茶会》

1914年　油彩、カンヴァス　81×100cm　パリ市立近代美術館

1905年頃からジャック・ヴィヨンのアトリエでの集いに参加し、後にキュビスムの画家となる人々と早くから交流していたスイス人の画家クロッティは、1911年頃からキュビスム絵画を描き始めた。灰色を基調としながら仮面のような顔の女性たちの社交の場を描く彼の作品には、マリー・ローランサンのキュビスム絵画と共通する雰囲気がある。

パリ西部のキュビストたちの拠点

「ピュトーグループ」の面々

キュビストたちの活動拠点は、パリ北部のモンマルトルの「洗濯船」に加え、パリ西部にも存在した。

ル・フォーコニエを中心とするモンパルナスのグループは、一九一一年のサロン・デ・ザンデパンダンでグループ展示しスキャンダルを引き起こした人々である（アルベール・グレーズ、ジャン・メッツァンジェ、フェルナン・レジェ、ドローネー夫妻など）。彼らの結び付きの発端となったのは、グレーズが参加していた「クレテイユ僧院」のグループの一員である詩人メルスローであった。

やがてこのグループは、サロン・ドートンヌやノルマンディー現代絵画協会（一九〇九年に設立）の展覧会を中心に作品を発表していたデュシャン兄弟に合流する。現在「ピュトー・グループ」として知られるこれらの人々は、毎週日曜日にはピュトーにあるデュシャン兄弟のアトリエに集い、芸術談義に明け暮れた。同じ住所に住んでいたフランティシェク・クプカの他、同じくパリ西部にアトリエを構えていたロジェ・ド・ラ・フレネーや、キュビスムの画家で、当時キュビスムに影響を受けた絵画を描いていたフランシス・ピカビアも加わり、四次元の概念や非ユークリッド幾何学、生理学、X線など、様々な科学的知識と関心を共有した。ただし、こうした関心を共有しつつ独自の抽象様式を追求したクプカや、同様にキュビスムから着想を得た抽象様式を推し進めながらやがてダダの運動に関わるピカビアのように、メンバーたちの芸術的実践とその展開は極めて多岐にわたるものだった。

一九一一年のサロン・ドートンヌでも衝撃的な集団展示を行った彼らは、翌年には二つの企画に挑戦した。一つはアンドレ・マールの指揮のもとサロン・ドートンヌで行われた「キュビスムの家」の企画への参加である。キュビスムが単に絵画や彫刻の分野での革命であるにとどまらず、新興階級の新たな生活スタイルを提案する総合芸術であることが宣言された。もう一つはボエシー画廊で開催された「黄金分割」展の開催である。この展覧会には、それまでのピュトー・グループの常連メンバーの他にも、アンドレ・デュノワイエ・ド・スゴンザックやアレクサンダー・アーキペンコ（42頁）、フアン・グリス、アンドレ・ロート（41頁）、ローランサン、アンリ・ヴァランシ（60頁）、ルイ・マルクーシなど、多様な芸術家が参加し、キュビスムが様々なやり方で広く展開していることを人々に印象づけた。

column 03

キュビスムと伝統

盗まれた《モナ・リザ》

一九一三年二月一二日の新聞『アルマナ・ヴェルモ』に掲載されたある風刺画（右下）では、画家がパレットを手にして、目の前の《モナ・リザ》（ルーヴル美術館）をキュビスム風に描き直している。一九一一年八月にルーヴル美術館から《モナ・リザ》が盗まれた事件を想起させる風刺画である。新聞や雑誌は失われたこの名画の行方を様々に想像した。なかにはキュビスムの画家のアトリエに《モナ・リザ》があるのではないかと考える者たちまでいた。実際に嫌疑はアポリネールやピカソにまでかけられた。

他方でこの風刺画は、ピュトー・グループのキュビストたちが当時レオナルドに対し抱いていた関心を踏まえたものでもあった。「黄金分割」展のコンセプトでは、一九一〇年に出版されたレオナルド・ダ・ヴィンチの『絵画論』のフランス語訳が重要な着想源となっていた。キュビストたちを魅了したのは、画家としてのレオナルドの腕だけでなく、工学や数学など様々な領野をまたぐ科学者としての知的な一面でもあった。一九一一年のサロン・ドートンヌに

ジャン・メッツァンジェ《ティー・タイム（味覚）》
1911年　油彩、厚紙　75.9×70.2cm　フィラデルフィア美術館

A・ロビダ《新しい流派》
「アルマナ・ヴェルモ」（1913年2月12日）掲載の挿絵

＊《モナ・リザ》のフランスでの通称

次いで、翌年の「黄金分割」展に出品されたメッツァンジェの《ティー・タイム（味覚）》には、まるで工業的な図面のように一つのモチーフを多視点的に分解しつつ、幾何学的な理想美を追求する試みが認められる。この絵画に《モナ・リザ》へのオマージュを認めた批評家ルイ・ヴォークセルは、その展覧会評のなかで、作品を揶揄して「菱形の乳房を持つ《スプーンを持ったジョコンド＊》」と呼んだ。

キュビスムと結び付く伝統はレオナルドのようなイタリア・ルネサンスの巨匠だけではない。グレーズはケルト文化や北方絵画といった過去の芸術のうちにフランス的伝統を見出し、キュビスムをその系譜の中に位置付けた。さらにキュビスムがゴシック的な伝統と関係していると考える批評家もいた。実際ロベール・ドローネーのキュビスム絵画には、度々ゴシック建築が重要なモチーフとして描かれた。

キュビスムの芸術家は、絵画的な伝統を破壊しながらも、過去の芸術との新たな関係性を結ぶこともまた試みていたのである。

フェルナン・レジェ／ナディア・レジェ

1881 - 1955 / 1904 - 1982

FERNAND LÉGER

フェルナン・レジェ
《形態のコントラスト》
1913年　油彩、カンヴァス
100.3×81.1cm
ニューヨーク近代美術館

円筒形や円錐形に還元されたモチーフを、赤や青、黄色といった原色で彩色するレジェのキュビスム作品は、機械的なリズムに彩られた近代の都市生活を象徴するものであった。当時はこの新たなキュビスム様式を「チュビスム」と呼び揶揄する批評家もいたが、この時期のレジェの作品には主題を完全に排除した「純粋絵画」の萌芽を認めることができる。

レジェ夫妻の造形的冒険

一八八一年にノルマンディー地方のアルジャンタンに生まれ、カーンで建築の勉強をしたレジェは、やがてパリに上京して、同郷の友人である画家アンドレ・マールとアトリエを共有しながら、印象派風の作品を描いた。さらに一九〇八年からは「蜂の巣」と呼ばれる建物に移住し、そこでアーキペンコやドローネー、アンリ・ローランス、ジャック・リプシッツといったキュビスムの芸術家たち、ブレーズ・サンドラールやマックス・ジャコブ、アポリネールといった詩人たちと交流するようになった。それからまもなくしてレジェは、モンマルトルやピュトーで活動していたキュビストたちに触発されつつも、抽象と具象の間を行き来する独自の造形的冒険を開始することになる。

レジェは様々な側面を持つ芸術家である。絵画を中心にした活動を展開する一方で、映画制作や詩集の挿絵制作、舞台装飾、理論的な執筆活動にも携わった。また機械や近代化された都市の文化に惹かれながらも、第一次世界大戦に歩兵として参戦してからはその暴力的な破壊力を

© National Portrait Gallery, London

《自画像に囲まれたナディア・レジェ》

1961年　撮影：アイダ・カー
ナショナル・ポートレート・ギャラリー、ロンドン

床に置かれた正面からの肖像は第二次世界大戦中に描かれた作品《自画像　とあるレジスタンスの誓い》。夫のフェルナンがアメリカに亡命したのに対し、ナディアはフランスに残りレジスタンス活動に参加した。いつ命を落としてもおかしくない生活を送りながら、娘が自分亡き後も母の姿を懐かしんでくれるよう、再現的に描いたのだと後に娘に語っている。

も目の当たりにし、記録した。両大戦間期には壁画装飾や私営のアカデミーでの教育活動、第二次世界大戦後には陶器制作にも携わっている。二度目の世界大戦の後はフランス共産党員となり、その理念を反映する芸術活動を行なった。

彼の配偶者であったベラルーシ生まれの画家ナディア・コダシエヴィチ（後にナディア・レジェ）は、一〇代の多感な時期にソビエト連邦に移住し、ロシア革命の精神に深く共鳴した生い立ちもあり、レジェより早く一九三二年にフランス共産党に入党している。

ソ連滞在中、コダシエヴィチはベリョーフとスモレンスクで美術教育を受けた。とりわけスモレンスクではカジミール・マレーヴィチ（54頁）の絶対主義に影響を受けた素描を残し、七〇年代になってそれらの成果を絵画化していくことになる。さらに一九二一年にはポーランドに移住し、家政婦とイコン制作の仕事によって日銭を稼ぎながら国立美術学校の試験勉強をした。翌年には国立美術学校の聴講生となるも、その伝統的な教育方法に反発して《国立美術学校に対する異議申し立て》と題した絶対主義様式の水彩画を描いた。前衛文化の中心地へと旅立つべく、コダシエヴィチは一九二五年にパリに移住し、アカデミー・モデルヌでアメデ・オザンファン（64頁）、ついでレジェの教育を受けた。以降彼女が描く絵画には、キュビスムから出発しながら具象と抽象を行き来したレジェやオザンファンの影響が強く認められるようになる。一九三二年にはレジェのアトリエで公式の助手として教育にも携わっている。

フェルナン・レジェ《バレエ・メカニック》

1924年　映像　35ミリフィルム　12分
ニューヨーク近代美術館

レジェの指揮のもと、ダドリー・マーフィーによる撮影、ジョージ・アンタイルによる作曲によって実現した短編映画作品。人物や機械、工業製品の断片的な接写イメージをリズムに従って反復する前衛的なスタイルの映像作品である。写真は映画の序盤と終盤に登場する、レジェが作成したチャーリー・チャップリンの姿のキュビスム風木製マリオネット。

ソニア・ドローネー／ロベール・ドローネー

1885 - 1979 / 1885 - 1941

SONIA DELAUNAY

ソニア・ドローネー《バル・ビュリエ》

1913年　油彩、カンヴァス　97×390cm　国立近代美術館、パリ

大衆的なモンパルナスの酒場バル・ビュリエのすぐ隣には、キュビストたちの集うカフェ、クロズリー・デ・リラがあったこともあり、カフェの常連ソニアとロベールは、毎週木曜日にバル・ビュリエに通った。煌びやかな照明のなかで踊る人々の熱狂とダイナミズムが、巨大な平面上の色彩の構成として結実した作品である。

独自の抽象的色彩表現

ロベール・ドローネーは一八八五年にパリで、サラ・ステルン（後のソニア・ドローネー）は同年にウクライナの都市オデッサで生まれた。二人は画商ウーデ（ソニアの最初の夫）の仲介で知り合った後、一九一〇年に結婚した。それ以前、ドローネーは新印象派から、ソニアはポスト印象派やフォーヴィズムからそれぞれ影響を受けた作品を描いていたが、彼らは結婚後、ともにキュビスムの新たな実験に取り組むようになる。

ロベールは一九〇九年には、ゴシックの大聖堂とエッフェル塔という、二つのまったく異なる時代の建造物をキュビスム風に描いた連作を開始した。過去と現在の双方をキュビスム様式で描くというこの企ては、一九一二年のサロン・デ・ザンデパンダンに展示された《パリ市》において、一画面のなかで伝統と近代とを結び合わせる試みへと発展する。ただしこの頃から徐々に、ロベールはキュビスムの集団活動からは離れるようになっていた。一九一一年にサロン・デ・ザンデパンダンの第四十一室に、他のキュビストたちとともに作品を並べたのだが、翌年の「黄金分割」展には参加していない。

キュビストたちのなかでもドローネーの特殊性を際立たせたのが、一九一二年の春頃から顕著になる鮮やかな色彩の多用と、「同時主義」を鍵語にしたその理論化である。「同時主義」という言葉は、新印象派に影響を与えたことで知られる一九世紀の化学者ミシェル＝ウジェーヌ・シュヴルールの色彩理論から着想を得たものでありながら、新印象派的な色彩論ではなく、ロベールとソニア独自の、色彩が生み出すリズムや調和を追求した抽象表現を示すものだった。

ソニアは一九一二年には抽象絵画である《同時対比》（国立近代美術館、パリ）を制作しているが、最初の抽象絵画は、前年に彼女が息子のために制作した、パッチワークのベッドカヴァーであったとも言われている。

ロベールもソニアもその後、明るい色彩の抽象的な作品を制作するようになる。彼らはともに、絵画制作

ROBERT DELAUNAY

ロベール・ドローネー《街に開かれた同時的窓》

1912年　ミクストメディア、カンヴァス　46×40cm
ハンブルク美術館

「窓」の内側にはかろうじて緑色に塗られたエッフェル塔を認識できるが、その他の部分は極度に抽象化されている。窓枠に相当する額縁の中央下部には、本来であれば風景のなかに存在するべき建築物の窓が描き込まれている。彩られた平面と、世界の表象という、絵画の二重の側面を、その臨界地点において戯れさせる作品である。

のみならず装飾芸術のジャンルにも携わった。とりわけソニアは、詩人ブレーズ・サンドラールの『シベリア鉄道とフランスの小さなジャンヌの散文詩』（一九一三年）の挿絵や、《同時的ドレス》（38頁）をはじめとする衣服の制作やテキスタイルのデザイン、博覧会での壁画制作など、様々な装飾芸術の分野でその才能を発揮した。

ロベール・ドローネー《パリ市》

1910-1912年　油彩、カンヴァス　267×406cm　国立近代美術館、パリ

中央にいる3人の裸婦は、ギリシア神話の「パリスの審判」の逸話に登場する三美神を想起させるが、彼女たちを取り巻くエッフェル塔や、セーヌ川の汽船は、舞台が現代のパリであることを示している。ここでは古代と現代との調和が描かれるとともに、「パリス」と「パリ」の言葉遊びが暗示されている。

column 04

キュビスムとファッション

キュビストとデザイナー 双方向間の対話と対立

二〇世紀前半にポール・ポワレやジャック・ドゥセ、ココ・シャネルらは、ファッション界での新たな美学の誕生を告げるデザインを次々と提案した。それは芸術と装飾が当時結んでいた密接で双方向的な関係の一つの表れでもあった。またキュビスムを含む前衛美術を買い求める彼らの行為は、これらのデザイナーたちが革新的な芸術との対話から新たなファッションの着想を得ようとしていただけではなく、自らもまた前衛文化の担い手の一員であるということを世間に示す振る舞いでもあった。例えばドゥセの邸宅（70頁）はキュビストたちの手によって装飾され、その壁を飾る絵画の一枚には、彼がアンドレ・ブルトンとルイ・アラゴンらの勧めによって購入したピカソの《アヴィニョンの娘たち》が含まれていた。またポワレのように、自らのデザインした服を売るためのファッション・プレートに、明らかにキュビスム風の様式を取り入れる芸術家もいた。

キュビスムの芸術家たちの側も服飾デザインに取り組んだ。二〇世紀初頭にデザイナーのポール・ポワレは、コルセットを必要としないシンプルなドレスを提案した。こうして瞬く間に流行した直線的なシルエットは、ソニア・ドローネーにとってはカンヴァスとして機能した。すでにポワレは一九一一年には、ラウル・デュフィのデザインによるテキスタイルの服を製作していたが、一九一三年にソニア・ドローネーが手がけた《同時的ドレス》は、彼女の絵画理論に基づく、より大胆な抽象的模様を特徴としていた。またソニア・ドローネーに加え、ピカソやレジェはバレエの舞台衣装をデザインした。こうしてキュビスムは、実際に身体に纏うことができるものとなったのである。

《同時的ドレス》を纏ったソニア・ドローネー。
（フランス国立図書館、版画・写真室）

ただしメッツァンジェのように、芸術とファッションとの関係に警句を鳴らす芸術家もいた。メッツァンジェとグレーズが一九一二年に執筆した『キュビスムについて』では、彼らの芸術を装飾芸術と区別する必要性がはっきりと主張されている。メッツァンジェの作品では、その主張は暗に示された。一九一二年の作品《カフェの踊り子》（26頁）では、ファッショナブルな女性たちが身につけている服飾品の素材をありありと伝える表現が、抽象的なキュビスム様式に織り込まれている。しかしその結果、概念的なキュビスムの幾何学と、衣服の素材の具象的表現との対立が強調されている。メッツァンジェが主張しようとしているのは、まさに両者の対立そのものなのである。より広い視野で見ればそれは、当時キュビスムのような最前線の前衛文化をも取り込もうとしていた資本主義的な価値体系への、芸術家の側からの抵抗でもあったのではないかと解釈されている。

フアン・グリス

1887 - 1927

JUAN GRIS

フアン・グリス《化粧台》
1912年　油彩、カンヴァス　33.2×45.6cm　個人蔵
1912年の「黄金分割」展への出品作。カンヴァスに直接鏡を貼り付けている点が当時注目された。そこに暗示されているのは、見たままの自然をカンヴァス上に模倣するのであれば鏡を貼るだけで十分であること、また芸術家の仕事の真髄とはむしろ、眼では見ることのできない、事物の幾何学的本質を表す行為のうちにあるということであった。

「ロジックの悪魔」から生まれる美

マドリードで一八八七年に生まれ工学を学んだホセ・ビクトリアーノ・ゴンザレス＝ペレスは、最初は挿絵画家として生計を立てる傍ら、絵画塾で美術制作を学んだ。一九〇五年にはフアン・グリス（フランス語ではジュアン・グリ）という名前で活動し始め、翌年にパリに移り住む。「洗濯船」に住居を定めたグリスは、ピカソやブラックらと交流するようになった。

グリスはパリでも挿絵画家としての仕事を続けながら、絵画におけるキュビスムの探求を推し進めた。彼の作品の特徴は、幾何学的に吟味された素描の確かさにある。彼は幾何学的な理論を好み、過去の巨匠が描いた作品の独自の分析をキュビスム絵画の構成の着想とすることもあった。そのことを同時代の批評家たちも感じていた。アポリネールは一九一二年の文章でグリスを「ロジックの悪魔」と呼び、ガートルード・スタインは一九二七年の追悼記事で、「完璧さ」という言葉を用いて彼の作品を評した。

したがってグリスが一九一二年の「黄金分割」展に参加したのは自然な成り行きだった。グリスと同じくモンマルトルを活動拠点としながらキュビスムを発展させたピカソやブラックが、「黄金分割」展のグループとは距離を置いたのに対し、グリスの古典的かつ数学的な関心そのものは、古典的なものをも取り込みながら前衛的な幾何学表現を追求した「黄金分割」展のキュビストたちと共通のものだったのである。美しい色彩を好んで作品に取り入れる点もまた、グリスと「黄金分割」展の芸術家たちを結ぶ特徴であった。

カーンヴァイラーやレオンス・ローザンベールといった画商の後ろ盾もあり、第一次世界大戦以降のグリスは経済的に恵まれた生活を送った。それは交友関係を広げることにもなった。とりわけカーンヴァイラー宅で毎週日曜日に行われた会合は、批評家のモーリス・レイナルや、アンドレ・マッソン、ロベール・デスノス、ミシェル・レリスといった後のシュルレアリスムの画家・詩人との交流を深める機会となった。

オーギュスト・エルバン

1882 - 1960

AUGUSTE HERBIN

フォーヴからキュビスムへ

一八八二年にフランス北部の街キエヴィで生まれた後、カトー＝カンブレジの市民講座で素描を学び、さらにリールの国立美術学校で本格的な美術教育を受けた。一九〇一年からはパリに住み始め、ファン・ゴッホやセザンヌ、次いでフォーヴィズムの影響を受けた絵画を描くようになる。ヴィルヘルム・ウードやクロヴィス・サゴといった、前衛芸術を支援する画商たちは、早くも一九〇四年には彼に出会い、作品を買い始めた。

エルバンは後に「フォーヴィズムこそキュビスムの父親なのだ」と述懐しているように、一九〇七年頃の作品には、フォーヴィズム風の鮮やかな色彩のタッチを構成することでキュビスム的な幾何学化を推し進める傾向が認められるようになる。この時期はまた彼にとって、「洗濯船」の人々やクレテイユ僧院のメンバーたちと知り合った時期にもあたる。一九〇九年には実際に「洗濯船」に移り住み、ピカソやグリスたちとの交友を深めた。一九一三年夏から秋にかけては、南仏の街セレに、ピカソやグリス、マックス・ジャコブらと滞在し、彼らから刺激を受けながらキュビスムの実験を推し進めることになる。

彼のキュビスム作品の特徴は、鮮やかな色彩と、理知的に構成された装飾的な形態が生み出す抽象性である。彼はその技術を生かして、第一次世界大戦に従軍した際に、飛行機のカモフラージュの模様を考案することに寄与した。

また画商レオンス・ロザンベールの後ろ盾を得た両戦間期には、具象的な作風の絵画を制作した時期（一九二二〜二六年）を除き徹底した抽象主義を推し進め、一九三一年には「抽象-創造（アブストラクシオン・クレアシオン）」の中核メンバー、一九四六年にはサロン・デ・レアリテ・ヌーヴェル（69頁）の主要メンバーとなっている。一九四九年には『非形象的非具象的芸術』を出版し、独自に考案した「造形的アルファベット」について論じた。それは、特定の形態と色彩の組み合わせから識別されるアルファベットを並べて制作するという、彼独自の抽象絵画の基盤となる理論だった。

オーギュスト・エルバン
《細道とセレの家》
1913年　油彩、カンヴァス
86×100cm　パリ市立近代美術館

1913年の南仏セレでの滞在は、エルバンにとって風景画のジャンルでキュビスム的実験を推し進めるきっかけとなった。半円形などの幾何学的図形の反復、直線による全体の構図の大胆な分割など、概念的に考案された抽象表現が認められる。その一方で、白をハイライトとして導入することで、明るい陽の光が家や地面を照らす戸外の自然の風景を表現している。

ANDRÉ LHOTE

1885 - 1962

キュビストたちの隣人

一八八五年にボルドーで生まれたロートは、同地の国立美術学校で彫刻を学ぶ傍ら、ボルドー美術館に展示されていた印象派の作品にも関心を示すようになり、一九〇五年には画家になることを心に決めた。ボルドーで描いた作品をサロン・ドートンヌやサロン・デ・ザンデパンダンといったパリの展示会に出品したことに加えて、一九〇九年にはブラックとともにル・アーヴル近代美術サークルの展覧会にも出品している。この頃のロートは、ポスト印象派からフォーヴィズムまで様々な動向の影響を受けた絵画の制作を試みていたが、一九一〇年頃からセザンヌの作品との対話を介してキュビスム風の絵画を手がけるようになった。一九一一年のサロン・デ・ザンデパンダンの第四十一室、同年のサロン・ドートンヌの第八室、一九一二年の「黄金分割」展という、キュビスムの形成史の指標となるような三つの集団展示にも参加している。ただし伝統的な主題を折衷主義的な様式で描くロートは、「キュビストなどではなく、キュビストたちととても近い隣人である」（ギュスターヴ・カーン、一九一三年）とする同時代の批評家も存在した。

ロートは第一次世界大戦で従軍画家として活動した後、戦後は様々な媒体に美術論を掲載したり、私的なアカデミーで美術教育に従事したりすることで、キュビスムの理論と技法の普及に貢献した。彼の著述においては伝統的な絵画とキュビスムとの関係がしばしば論じられるために、第一次世界大戦を機に新たに登場した「秩序への回帰」という現象の一環として捉えられる傾向にある。実際にはこうした関心は戦前のロートの絵画においてすでに認められるものだが、戦後の人々は、戦前よりもそうした言説により多くの関心を向けるようになっており、ロートもそうした傾向のなかで、著述家として活躍したのである。また一九二六年に創立した画塾アカデミー・アンドレ・ロートでも、伝統的な絵画から学ぶことを教えた。

アンドレ・ロート
《デュオニソスの巫女》
1910年　油彩、カンヴァス
106×106cm　ジュネーヴ現代美術館

古代神話の登場人物が、中世の教会のような尖塔を持つ建築物を背景にして横たわっており、その傍らには扇とトランプという近代的な日常生活の一コマを想起させるモチーフが描かれている。古代と中世、そして現代、あるいは自然と文明が混じり合うこの光景を、ロートはキュビスム風の色面構成と幾何学的な構図によって描いた。

アレクサンダー・アーキペンコ
《カルーセル・ピエロ》
1913年　彩色石膏　60×54.3×30.5cm
ソロモン・R・グッゲンハイム美術館、ニューヨーク

アーキペンコはしばしば、彫刻作品や絵画作品において円錐状の胴体で人物を表現した。その一つである本作は、当時パリで流行していたメドラノ・サーカス団の催しで見たピエロを表現したものであり、抽象的な形態と色彩を特徴としながらも、動きに溢れた作品となっている。

ALEXANDER ARCHIPENKO

絵画と彫刻の境界との戯れ

ピカソとブラックのもとで進められた、絵画におけるキュビスムの実験は、セザンヌの構成的筆触の創造的な利用によって分析的キュビスムへと到達した。筆触が生み出す不条理な空間は、彫刻という三次元の芸術ジャンルに容易に移行できるものではない。したがってピカソは、初期キュビスム期には、数点の彫刻作品を除き絵画制作に専念した。

そして筆触というよりも平面的な表現の組み合わせ（総合的キュビスム）により実験を推し進めるようになった一九一二年の暮れ以降になってようやく、立体作品でも積極的にキュビスムを追求し始めた。

だがそれ以前にすでに、彫刻制作を通してキュビスム的な実験に接近していた芸術家たちが存在した。ルーマニア出身のコンスタンティン・ブランクーシや、ウクライナ出身のアレクサンダー・アーキペンコらである。オーギュスト・ロダンのアトリエで短期間学んだこともあったブランクーシは、非西洋の造形物の影響も受けながら抽象的な様式の彫刻を制作するようになった。一九〇八年にはクレテイユ僧院の展示会に参加し、モンパルナスのカフェ、クロズリー・デ・リラや、ピュトー・グループの会合にも出入りするようになった。ただし彼はキュビスムの一派とは距離を置いた活動をし、一九一二年の「黄金分割」展にも参加していない。レジェなどのキュビストも住む「蜂の巣（ラ・リュシェ）」と呼ばれた建物にアトリエを構えたアーキペンコもまた、モンパルナスの会合で芸術家や批評家と知り合うなかで刺激を受け、一九一〇年にはキュビスム風の複雑な幾何学化を伴う作品の制作を始めた。彼はキュビスムの集団的活動にも参加し、一九一二年の「黄金分割」展に出品している。

さらに一九一一年には、ピュトー・グループの彫刻家であるデュシャン=ヴィヨンも、理知的に構成された幾何学的形態を、立体作品において

OSSIP ZADKINE

HENRI LAURENS

アンリ・ローランス《ラム酒の瓶》
1916-1917年　木材、板金　28.5×25.5×19cm
グルノーブル美術館

1908年から「蜂の巣」の界隈に出入りしていたローランスは、1911〜12年頃に出会ったブラックの静物画や、ピカソのアトリエで見た《ギター》(12頁)に影響を受けた作品を制作するようになる。本作では彩色した鉄版を折り曲げて木片と接続させ、二次元と三次元との間を戯れる試みが認められる。

© ADAGP, Paris & JASPAR, Tokyo, 2023 E5203

オシップ・ザツキン《彫刻家》
1922年(1949年)　大理石、花崗岩、石、鉛、彩色されたガラス
67×55×45cm　国立近代美術館、パリ

彫刻家の頭部と腕は切り離されていることから、ここで中心的なテーマとなっているのが、彫刻家の姿というよりもその技であることがわかる。本作でザツキンが使用しているのは大理石と花崗岩、石、鉛、ガラスなどといった多様な素材であり、ガラスや台座には線描も認められる。彫刻が絵画との対話のなかで多様な形式を生み出しうることが示唆されている。

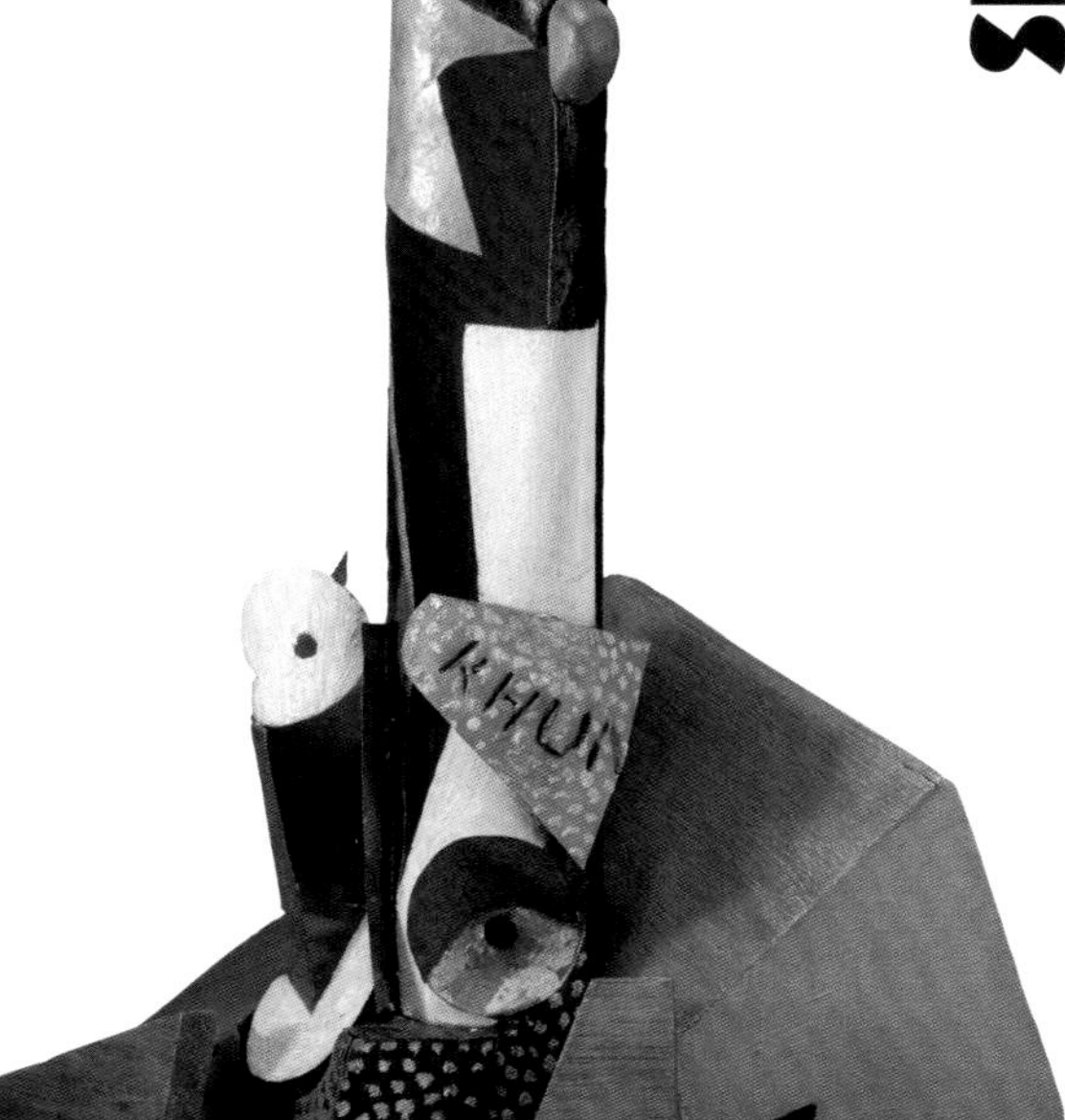

Photo: Ville de Grenoble /Musée de Grenoble –J.L. Lacroix

追求するようになっていた。このような動向を間近で見ながら、彫刻の分野でもキュビスムが追求されていることを確信したアポリネールは、一九一三年の著書のなかで、「キュビスム派に属したいと願う彫刻家」として、ブランクーシとアーキペンコ、デュシャン＝ヴィヨンらの名前を挙げることになる。

　モンパルナスや「蜂の巣」で活動したリトアニア人のジャック・リプシッツとロシア帝国出身（現在のベラルーシ生まれ）のオシップ・ザツキン、そしてブラックと生涯にわたる友情を結んだフランス人彫刻家アンリ・ローランスも、総合的キュビスムの絵画から刺激を受け、幾何学的な面の構成と色彩の使用を特徴とした彫刻を制作している。彼らの作品は多様ではあるが、木や石の直彫を好んで行った点、非西洋美術の造形物からも多大な着想を得ている点、彫刻に彩色を施す点など、いくつかの重要な共通性を見せている。彼らはキュビスムの絵画的な実験を三次元的な実験のなかに移行させることで、結果的に彫刻と絵画の境界と戯れた。アーキペンコやローランスは、彫刻だけでなく絵画や版画も手がけている。

マリア・ブランシャール

1881 - 1932

MARÍA BLANCHARD

マリア・ブランシャール《キュビスムのコンポジション》
1916-1919年　油彩・コラージュ、カンヴァス　154×114cm
ソフィア王妃芸術センター、マドリード

極めて抽象性の高い構成のなかに、具体的な事物を想起させる装飾模様が紛れ込んでいる。シンプルな黒い線で描かれた白地の上の装飾模様は、その周囲を空気のように取り巻く線描との間に、幻想的なコントラストをなしている。幾何学的な厳格さと独特の詩情を感じさせる色彩や装飾模様の組み合わせには、フアン・グリスからの影響が認められる。

厳格な幾何学性と詩情の融合

父親はスペイン人だが、母親はフランス系であることから、ファミリーネームはフランス風にブランシャールと発音する。

大西洋に面したスペイン北部の街サンタンデールに生まれ、幼少期より身体に障害を抱えて育ったマリア・ブランシャールは、奨学金を得てマドリードで絵画を学んだ後、一九〇九年よりパリのアカデミー・ヴァシリエフで学んだ。アカデミー・ヴァシリエフは、ロシア出身のキュビスム画家マリー・ヴァシリエフが設立した画塾（設立当初はアカデミー・リュス）である。レジェを講演者として招いた（一九一三年）ことでも知られるこの画塾で、ブランシャールはキュビスムの洗礼を受けることになる。さらにモンパルナスではディエゴ・リベラ（57頁）とアトリエを共有し、ともにキュビスムの活動拠点の中心地で、その発展を目の当たりにした。一九一二年には画家キース・ヴァン・ドンゲンの紹介でフアン・グリスと出会い、さらにキュビスムに接近していくことになる。

第一次世界大戦中には一旦マドリードに戻り、次いでスペイン北西部の都市サラマンカで素描を教えたが、学生からの嫌がらせを受け、それ以降スペインに住むことはなかった。

一九一六年には画商レオンス・ロザンベールと出会い、その後ろ盾を得ることになる。また一九一八年にはメッツァンジェやリプシッツとともに、フランス中部の街ボーリウ（現在のボーリウ＝レ＝ローシュ）のグリスの家を訪れ、互いの芸術的実践についての対話を通じてキュビスム様式を展開させた。

ただし二〇年代には古典主義的な様式の作品を描くようになった。新様式の絵画は、ブリュッセルの画商集団「明日の人々」や、画商ポール・ロザンベールの目に留まり、成功を収めた。

セルジュ・フェラ／エレーヌ・エッティンゲン

1881（1879）- 1958 ／ 1885（1875-1880）- 1950

SERGE FÉRAT

アポリネールの良き友人たち

モスクワの伯爵家に生まれたセルゲイ・ヤストレプツォフは、画家になることを志し、最初はキエフの美術学校、続いて一九〇〇年にパリに移住し、アカデミー・ジュリアンで学んだ。バルビゾン派や印象派、ナビ派、セザンヌといった近代絵画を好み、一九一〇年以降はアンリ・ルソーの作品収集も開始した。彼は、すでに一九一〇年にはキュビスム風の静物画を描いているが、キュビスムの実験に本格的に取り組む油彩画の制作を始めたのは一九一三年のことである。この年に制作した《静物ラチェルバ》は一九一四年のサロン・デ・ザンデパンダンで注目を浴びた。キュビスム画家への転身を経て、彼はセルジュ・フェラという名前で活動するようになる。

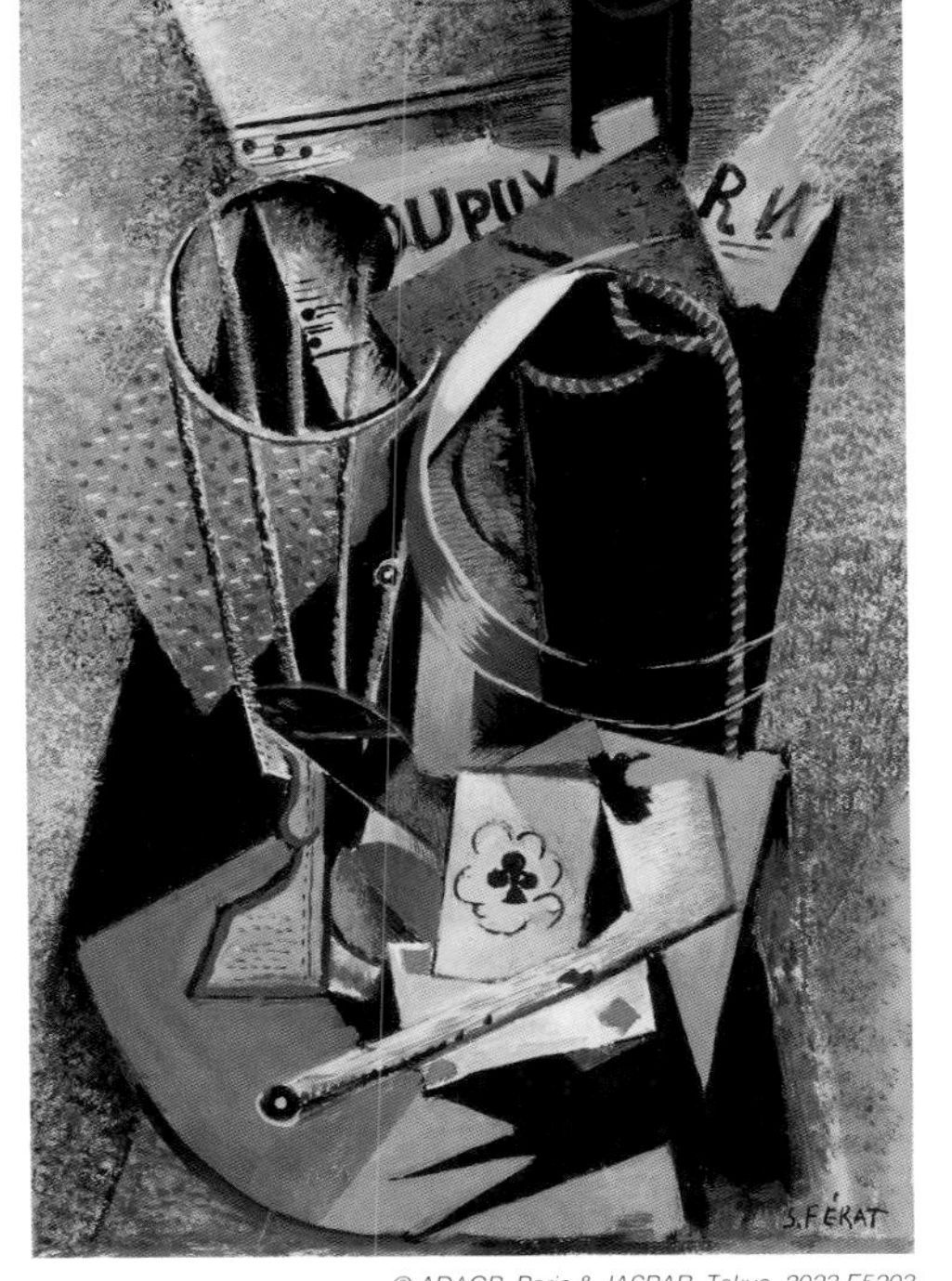

セルジュ・フェラ《パイプとグラスのあるコンポジション》
1917年　ガッシュ、紙　34×22cm　国立近代美術館、パリ
フェラはブラックやピカソの影響を受け、作品中に新聞の見出しの文字を描き込んだ静物画を描くようになった。酒やグラス、パイプやカード、新聞が並べられたテーブルは、パステルのような淡いタッチの赤や黄色の色彩に囲まれており、賑やかな酒場の様子を伝えている。モチーフに紛れ込んだ楽譜の記号は、酒場を活気づける音楽を暗示しているのだろう。

HÉLÈNE OETTINGEN

ウクライナ生まれの従姉妹のエレーヌ・エッティンゲン（エレナ・メンチンスカヤ）も芸術家であり、詩人であった。伯爵夫人の娘として生まれ、ワルシャワのエッティンゲン男爵との結婚と離婚を経た彼女は、一九〇三年にはパリで生活するようになった。彼女は最初詩人としてその才能を発揮し、前衛誌に数々の作品を掲載した。エッティンゲンは複数の筆名で活動しており、散文にはロッホ・グレイ、詩にはレオナール・ピウ、絵画にはフランソワ・アンジブルと、いずれも作品のジャンルによって男性名を使い分けていた。

フェラとエッティンゲンは、ともに詩人ギヨーム・アポリネールの良き友人であった。一九一二年にアポリネールが創刊した文芸誌『レ・ソワレ・ド・パリ』が、翌年経営難により存続の危機に陥ると、この二人の裕福な友人が経済的な援助の手を差し伸べ、結局雑誌の刊行は第一次世界大戦により廃刊を余儀なくされるまで続いた。さらにフェラは、一九一七年に上映されたアポリネールの戯曲『テレジアの乳房』の舞台装飾を手がけた。キュビスム風の街のなかに曲芸師たちが姿を現すその舞台において、フェラの絵画とアポリネールの文学が結び付くことになったのである。

その後フェラとエッティンゲンは、キュビスム的な幾何学や装飾的な構成を用いながら、独自の絵画様式を追求した。一九二〇年には二人とも、第二回目の「黄金分割」展に参加している。

レオポルド・シュルヴァージュ

1879 - 1968

LÉOPOLD SURVAGE

レオポルド・シュルヴァージュ
《ヴィルフランシュ＝シュル＝メール》
1915年　油彩、カンヴァス　146×115cm　国立近代美術館、パリ

シュルヴァージュは1915年から1919年の間、南仏のコート＝ダジュールに滞在し、街や自然の風景を描いた。それらの風景画では、壁画や道が消失点に向かって縮小していくよう描かれた。このことで奥行きが表現された。幾何学化・断片化された眺めは美しい人工的な色彩で彩られており、独特の幻想的な雰囲気を湛えている。

音楽・映画と融合する絵画芸術

モスクワで一八七九年にピアノ職人の父のもとに生まれたシュルヴァージュは、一八九九年から同地の美術学校で学ぶ傍ら、シチューキンやモロゾフの現代絵画コレクションを目にする機会に恵まれた青年期を送った。

一九〇九年には、パリに生活の拠点を移し、マティスのアトリエで絵を学んだ。また一九〇六年に知り合い生涯にわたる友情を結んだアーキペンコの仲介で、セルジュ・フェラとエレーヌ・エッティンゲンとも知り合った。こうした人脈は彼をキュビスムに接近させた。一九一〇年以来、シュルヴァージュはピカソやブラックだけでなく、ピュトー・グループの影響を受けた作品を制作するようになった。一九一九年にはシュルヴァージュとアーキペンコ、グレーズは三人で「黄金分割」協会を立ち上げ、翌年の第二回「黄金分割」展開催に向けて尽力した。

その活動は多岐にわたる。第一次世界大戦下に創刊された前衛誌『SIC』に協力し、一九二二年にはバレエ・リュスのセルゲイ・ディアギレフの注文を受けてストラヴィンスキーの戯曲『マヴラ』の舞台装飾を手がけた。一九三七年にはドローネー夫妻による万博の壁画装飾のプロジェクトにも参加している。

とりわけ独自性のある取り組みとしては、一九一二年から一九一四年にかけて制作された「彩られたリズム」と題された未完のプロジェクトが挙げられる。それは、抽象的な形態が抑揚のあるリズムで踊る前衛映画として完成される予定だった。絵画と音楽、そして映画の結合により、「知覚（サンサシオン）」だけでなく「心情（サンチマン）」を喚起するようなダイナミックな抽象芸術の実現を、彼は夢見ていたのである。シュルヴァージュはこの企画のために多くの水彩画のデッサンを制作し、一九一四年のサロン・デ・ザンデパンダンで展示している（現在はニューヨーク近代美術館とフランス国立近代美術館、シネマテーク・フランセーズに収蔵）。

NEWYORK
ニューヨーク

やがて第一次世界大戦が始まると、**チューリヒ**や**ベルリン**、**ハノーファ**、**ニューヨーク**、**パリ**で展開されたダダにおいて、キュビスムが生み出した前衛文化を参照しつつそれを乗り越えるような試みが展開した。

キュビスムの成果を踏まえつつどのように乗り越えるのか。それは、ダダの芸術家だけでなく、多くの戦後の芸術家たちにとって大きな課題となった。その方向性は大きく三つに分類される。一つはダダのように、キュビスムのコラージュやコンストラクションといった技法を、さらにラディカルに展開する傾向である。

もう一つはデザインの分野で追求された。すでに第一次世界大戦以前から、**チェコ**でキュビスムに影響を受けた建築や家具がデザインされていたが、一九一七年のロシア革命以降には、ロシア構成主義のメンバーたちが**モスクワ**や**ペトログラード**（現在の**サンクト＝ペテルブルク**）の公的な文化施設で教鞭をとるようになり、キュビスムや未来派の流れを汲むその前衛的なアイディアが、いかにイーゼル絵画以外のジャンルにも革新性をもたらしうるのかを示した。その他、オランダの**ライデン**で創刊された雑誌『デ・ステイル』を取り巻く人々や、パリで展開した純粋主義（ピュリスム）、ドイツの**ヴァイマル**や**デッサウ**に校舎があったバウハウスなども、戦前のキュビスムの動向と決して無関係ではない。芸術とデザインの境界を乗り越えるこうした動向は、アール・デコ様式の興隆や三〇年代の抽象芸術の誕生にも寄与した。

最後に挙げられるのは、**パリ**を中心に展開したシュルレアリスムである。芸術形式ではなく人間の内奥への関心を基礎にしながら芸術活動を行うこの運動に、かつてキュビスムを創始したピカソ自身も魅せられるようになる。

それらの芸術はいずれも、キュビスムを踏襲するものではないが、批判的に受容するものであった。芸術の伝統的なジャンルにかつてない挑戦を突きつけたキュビスムの真髄が、こうして、国際的に展開する前衛文化の根底に受け継がれていくこととなるのである。

キュビスムとイタリアの前衛

未来派のキュビスムへの接近

一九〇九年にイタリアの詩人フィリッポ・トンマーゾ・マリネッティが発表した「未来派宣言」以降、マリネッティの周囲には機械的なダイナミズムを取り入れた芸術表現に共通の関心を持つ芸術家が集い、未来派のグループが形成された。キュビスムと未来派は互いに関心を持ち刺激を与え合いながら、決して一つに結合することのないライバル同志でもあった。

マリネッティはミラノを中心に活動していたが、最初の未来派宣言はフランス語で書かれ、パリの大衆紙『フィガロ』で発表された。これはパリの文化人の界隈に自分たちの存在をアピールしようという野心の表れであると同時に、次々と新しい美術や文学の動向が誕生していたパリに対する、イタリアの前衛グループからの挑戦状でもあった。

一九〇六年からパリに住みつつ未来派の運動に参加した画家ジーノ・セヴェリーニを例外として、未来派の芸術家たちがキュビスムを発見することになるのは、一九一一年以降のことだった。この年、パリを拠点とする作家でありキュビスムの画家でもあったアルデンゴ・ソフィッチがイタリアの雑誌『ラ・ヴォーチェ』に執筆したピカソとブラックについての記事は、未来派のグループの人々がキュビスムに関心を抱くきっかけとなった。さらにこの年から翌年にかけて、未来派の画家カルロ・カッラやウンベルト・ボッチョーニらはパリを訪れ、サロンやカーンヴァイラー画廊で、最新のキュビスムの成果に触れた。これ以降未来派の絵画には、絵画の中の文字の使用やコラージュ、幾何学的な分析など、キュビスムからの明らかな影響が認められるようになる。

一九一二年二月にはパリのベルネーム＝ジュヌ画廊でイタリア未来派絵画展が開催され、人々に衝撃を与えた。この衝撃はパリのキュビストたちにとって、脅威のようにも感じられたことだろう。だが未来派とキュビスムには共通の関心も存在した。生理学から着想を得た、抽象的な形式をともなう運動の表現、近代的な都市の日常に息づく断片的で混成的、機械的なヴィジョンへの関心、抽象的な色彩理論などである。

ジーノ・セヴェリーニ
《ポール・フォールの肖像》

1915年　油彩・チョーク・木炭・墨・コラージュ、カンヴァス　81×65cm　国立近代美術館、パリ

カンヴァスに紙を貼り付けるコラージュの手法を取り入れ、画面全体を幾何学的に構成したこの作品には、キュビスムからの影響が認められる。モデルとなった詩人ポール・フォールはモンパルナスのカフェ、クロズリー・デ・リラの集いの中心的な人物である。セヴェリーニはそこに集ったキュビストたちと日常的に交流した。

フォルチュナート・デペロ《バレリーナとオウムの回転》

1917年　油彩、カンヴァス　140.5×89.5cm　トレント・ロヴェレート近現代美術館

鮮やかな色で彩られた円錐形を胴部や脚とする機械仕掛けの人形を描く本作には、1914年にローマで開催された「国際自由未来派展」で展示されたアーキペンコの作品からの影響が顕著に認められる。デペロは同時期に、幾何学的な部分から構成されたマリオネットによる「造形バレエ」を構想しており、本作もその関連作であると考えられる。

フランツ・マルク《狐たち》
1913年　油彩、カンヴァス　88.3×66.4cm　個人蔵
キュビスムからの影響をうかがわせる、格子状に分割された画面のなかから、穏やかな顔の狐が浮かび上がる。柔らかい絵の具のタッチと曲線により表現された狐の身体は、幾何学的に分析されてはいても、体を丸めたその肢体や尻尾の膨らみをありありと感じさせる。

「青騎士」との邂逅

キュビスムの芸術家たちはドイツの前衛文化と相互に影響を与え合った。もっとも早期に直接の関係を結んだのはル・フォーコニエである。彼は一九一〇年に第二回ミュンヘン新芸術家協会の展覧会に参加し（ピカソやブラックも出品した）、数学的な概念を援用した美術論を図録に寄稿した。ル・フォーコニエはさらに、一九一一年一二月にミュンヘン新芸術家協会から分離するかたちでヴァシリー・カンディンスキーやフランツ・マルクらにより結成された「青騎士」のグループに参加した。このグループが刊行する年鑑には、キュビスムの作品の複製図版のほか、批評家ロジェ・アラールのキュビスム論なども掲載された。

ドローネー夫妻（ロベールとソニア）もまた、青騎士の芸術家たちと交流した。ロベールは一九一一〜一二年の青騎士の展覧会に参加した。またソニアとロベールの色彩論は、カンディンスキーの著書『芸術における精神的なものについて』（一九一二年）からも着想を得たものだった。同じ年、青騎士の常連だったパウル・クレーはドローネー夫妻のアトリエを訪れている。クレーはロベールの論考「光について」を独訳し、翌年『デア・シュトゥルム（嵐）』誌に掲載した。彼はまた、ソニアの装飾的な抽象様式にも影響を受けたと考えられている。

『デア・シュトゥルム』は、詩人ヘルヴァルト・ヴァルデンが創刊した雑誌であり、一九一二年にはヴァルデンによってベルリンに同名の画廊が開かれた。一九一三年のデア・シュトゥルム画廊での展覧会に参加したロベールには、詩人アポリネールも同行し、講演会を行っている。彼はそこで、ロベールの美学が「多くの現代ドイツ絵画の感性をもつ人々と似ている」と述べた。

アルベール・グレーズもまたドイツとの繋がりを持つキュビストである。一九二〇〜二一年にはデア・シュトゥルム画廊に作品を展示した他、一九二八年にはバウハウス叢書から、自身のキュビスム論をまとめた本を出版した。

キュビスムとロシアの前衛

出発点としての民衆芸術

ロシアではキュビスムや未来派を受容することで「立体未来派」と呼ばれる傾向が生まれた。

パリの最新の美術動向に敏感なモスクワでは、画期的な展覧会が数多く開かれ、キュビスム作品が早くから紹介された。雑誌『金羊毛』のグループが組織した一九〇九年の展覧会は、ブラックの初期キュビスム作品をいち早く紹介した。一九一二年初頭には、前衛的な芸術家集団である「ダイヤのジャック」が組織する展覧会が開催され、ピカソやグレーズ、レジェの作品が展示された。

これらの展示に刺激を受けた芸術家たちのなかには、リュボーフィ・ポポーワのように、パリに留学してアカデミー・ド・ラ・パレットでル・

ナタリア・ゴンチャロヴァ《豊穣の神》
1909-1910年　油彩、カンヴァス　57.5×70.5cm
国立トレチャコフ美術館、モスクワ

精霊のような姿の「豊穣の神」を取り囲んでいるのは、花や馬といった象徴物である。土着の信仰をキュビスム的な手法で描き出すこの作品は、ネオ・プリミティヴィズムとパリの最先端の前衛絵画との結合によってもたらされたものである。

ミハイル・ラリオーノフ《グラス》
1912年　油彩、カンヴァス　104.1×97.1cm
ソロモン・R・グッゲンハイム美術館、ニューヨーク

グラスをプリズムにして縦横無尽に放射する光線を描いた作品であり、ルチズム(光線主義)の美学が典型的に認められる。光は画面を幾何学的に分割するだけでなく、青や緑、黄色など、様々な色彩をもたらしており、独特の律動を生み出している。

フォーコニエらから絵画の手解きを受けた人物もいた。そうした画家たちから噂を聞きつけたこともあり、ウラジミール・タトリンは一九一四年にパリを訪れ、ピカソとブラックの作品に触れた。とりわけ彼はピカソのコンストラクションやコラージュに感銘を受け、木材やガラス、金属を用いた「カウンター・レリーフ」や「コーナー・レリーフ」と呼ばれる立体作品を制作するようになった。

もちろんパリの芸術動向からの刺激だけがロシア・アヴァンギャルドの推進力となっていたわけではない。ロシアではキュビスムが知られる以前から、図式的な図像や純粋色を特徴とする民衆芸術から着想を得た、「ネオ・プリミティヴィズム」と呼ばれる動向が存在した。ナタリア・ゴンチャロヴァや、彼女のパートナーであるミハイル・ラリオーノフは、その代表的な芸術家である。彼らが民衆芸術に対して抱いていた関心は、伝統的な芸術に反旗を翻す原動力となっていたのであり、同じ動機から前衛的表現を追求したキュビスムや未来派に彼らが共鳴したのも、自然な成り行きだった。彼らは「ダイヤのジャック」に所属していたが、一九一二年にはより急進的なグループ「ロバの尻尾」を結成した。さらに彼らは、キュビスムと未来派の美学を結合させ「ルチズム」（光線主義）と呼ばれる理論を展開した。

カジミール・マレーヴィチもまた、ネオ・プリミティヴィズムから立体未来派を経由して、独自の美学である絶対主義を確立した芸術家である。やがて彼はコラージュや絵画への文字の挿入といった、総合的キュビスムの手法を取り入れる時期を経

リュボーフィ・ポポーワ《ヴァイオリン》

1915年　油彩、カンヴァス　88.5×71cm　国立トレチャコフ美術館、モスクワ

楕円形に枠取られた画面の中心には、キュビスム的に分割された弦楽器が描かれている。その周囲を取り囲むのは、「コンサート」や「プログラム」といった文字列の一部、楽譜やトランプ、壁紙の断片などである。ポポーワはル・フォーコニエからキュビスムの技法を学ぶだけでなく、ウーデやカーンヴァイラーの画廊で目にしたピカソやブラックの作品からの影響も受けており、本作にはそのことが表れている。

て、一九一五年には「絶対主義」を提唱する「最後の未来派絵画展〈〇・一〇〉」をサンクト＝ペテルブルク（当時はペトログラート）で開催する。それは徹底した非具象と幾何学的な簡素さを追求した究極の抽象絵画であり、そのことによってキュビスムや未来派をさらにラディカルに突き詰めつつ乗り越えようとするものであった。

こうした取り組みはロシア構成主義に受け継がれていくこととなった。芸術作品だけでなく建築物もまた「構成」の対象になった。一九一七年のロシア革命を機に、タトリンもマレーヴィチも、建築物のデザイン案に取り組んでいる。

カジミール・マレーヴィチ《木こり》
1912年　油彩、カンヴァス　76×99cm
アムステルダム市立美術館

シンプルな幾何学に還元したモチーフを明るい色彩で表現する、レジェのキュビスム作品からの影響が顕著である。描かれているのはロシアの木こりという民衆的モチーフである。初期のマレーヴィチの立体未来派の作品において、「チュビスム」と呼ばれたレジェの技法は、ネオ・プリミティヴィズム的な民衆性とキュビスム絵画とを結び付けるのにうってつけだった。

ウラジミール・タトリン
「第三インターナショナル記念塔」の模型（1919年）

鉄と鋼、ガラスといった産業的な素材から成る、構成主義的なロジックに根差した螺旋状の建築物の案である。ロシア革命後結成されたコミンテルン（共産主義インターナショナル）を記念し、400メートルの高さの塔としてペトログラード（現在のサンクト＝ペテルブルク）に建てられる予定だったが、実現することはなかった。

カジミール・マレーヴィチ《モナ・リザのある構成》

1914年　油彩・鉛筆、カンヴァス・紙　62.5×49.3cm
国立ロシア美術館、サンクト＝ペテルブルク

レオナルド・ダ・ヴィンチの《モナ・リザ》の複製に赤でXが描き込まれている。それは伝統の否定だけでなく、レオナルドとの結び付きを主張する「黄金分割」展のキュビストたちへの反発の表れでもある。この複製と並置された、矩形や三角形といった単純な幾何学的図形には、すでに絶対主義的な関心が認められる。結果本作品は、総合的キュビスムの作品でありながら、同時にパリのキュビスムへの挑戦ともなっている。

キュビスムのアメリカ大陸上陸

スタントン・マクドナルド＝ライト《静物のシンクロミー》

1913年　油彩、カンヴァス　50.8×50.8cm　ニューヨーク近代美術館

マクドナルド＝ライトとモーガン・ラッセルはパリで出会い、ともにキュビスムや未来派といった前衛芸術から刺激を受けつつ、色彩の構成により音楽的な効果と調和を得ることを目指すシンクロミズムを提唱した。本作はテーブルの上の果物など具象的な対象を描くものでありながら、その色づかいと幾何学的構成は純粋な抽象絵画に近いものとなっている。

海を越えたキュビスム旋風

キュビスムは海を越えてアメリカでも旋風を引き起こした。芸術家ハミルトン・イースター・フィールドや詩人ウォルター・アレンスバーグ、弁護士ジョン・クインなど、アメリカには早い段階からキュビスム作品のコレクターたちがいた。なかでもパリに滞在していたレオとガートルード・スタインのコレクションには、ピカソやグリスの重要なキュビスム作品が含まれていた。

ロシア帝国生まれのアメリカ人画家マックス・ウェーバーは、パリ滞在中にガートルード・スタインの開催する集いに足繁く通い、キュビストたちと知り合った。ピカソのアトリエでは《アヴィニョンの娘たち》を目にして衝撃を受け、一九一〇年にアメリカの新聞に紹介している。同じ年、アメリカではピカソとブラックを紹介する批評家ジェレット・バージェスの記事も発表された。翌年には写真家アルフレッド・スティーグリッツの二九一画廊（ニューヨーク）でピカソの個展、一九一五年にはピカソ・ブラック展が開催され、ニューヨークの人々にキュビスムを紹介した。

一九一三年には他にも重要な展覧会が開催されている。アメリカ画家・彫刻家協会により開催された「国際現代美術展」である。最初の開催地ニューヨークでは兵器倉庫で開催されたため、「アーモリー・ショー」（兵器庫展示）という通称で知られる。ピカソやブラック、レジェ、グレーズ、ロベール・ドローネー、デュシャン兄弟がキュビスム作品を展示した。

一九一〇年以降の、アメリカにおけるキュビスム作品の紹介や上陸と並行して登場したのが、アメリカに

おけるキュビスム第一世代である。その一人スタントン・マクドナルド＝ライトは、モーガン・ラッセルとともに「シンクロミズム」という美学を提唱した。ドローネー夫妻の「同時主義」を着想の一つとするその美学は、色彩豊かな純粋絵画の理論的基盤となった。

北米の画家たちだけでなく、南米出身の画家もキュビスムに影響を受けている。メキシコ人マリウス・デ・サヤス［ザヤス］や、ディエゴ・リベラである。前者は雑誌『二九一』を一九一五〜一六年に出版し、「ニューヨーク・ダダ」の中心的な人物となった。後者はパリ留学中にキュビスムの芸術に影響を受けた作品を制作していたが、一九二〇年代にはメキシコ壁画運動に参加し、キュビスムとは異なる独自のリアリズムを追求した。

マックス・ウェーバー《四次元のインテリア》
1913年　油彩、カンヴァス　75.7×100.3cm　ナショナル・ギャラリー、ワシントン

ウェーバーはキュビスムの幾何学様式を用いて近代的な都市の生活を生き生きと描き出した画家である。本作では、非ユークリッド幾何学との結び付きからモンパルナスのキュビストたちが注目していた「四次元」の概念を、キュビスム的技法と結び付けている。ウェーバーは、『カメラ・ワーク』誌1910年7月号に、この概念についての論考を寄稿している。

ディエゴ・リベラ
《サパティスタの風景　ゲリラたち》
1915年　油彩、カンヴァス　145×125cm
メキシコ国立美術館、メキシコ・シティ

山を背景にしたメキシコ革命の指導者サパタを総合的キュビスムの様式で描いた作品。右下のピンで留められた紙は、抽象様式と再現様式との間の奇妙な対話を生み出している。リベラはピカソが《テーブルにもたれる男》を制作する際に、自らのこの作品を剽窃（ひょうせつ）したと主張し、非難した。

チェコのキュビスム

絵画から建築、装飾芸術へ

パリにはキュビスム誕生以前よりチェコ人フランティシェク・クプカが住んでおり、いち早くピュトー派のグループの仲間入りをした。プラハでもまた、キュビスムはすぐに知られるようになった。展覧会の開催や『自由な傾向』誌の刊行を通してパリの芸術動向を紹介したプラハのマーネス芸術家連盟の存在は、芸術家たちの関心を、自然とフランスの前衛美術であるキュビスムへと向けることになった。一九〇七〜〇九年まで活動した前衛グループ「オスマ」(数字の八を意味する)に属していたエミール・フィラやボフミル・クビシュタは、チェコにおけるキュビスム絵画の担い手となった。このグループはやがてマーネス芸術家連盟に統合され、『自由な傾向』誌は彼らのキュビスム理論に基づく批評活動の場となった。

一九一〇年にはフィラやクビシュタらの尽力もあり、プラハでマティスやブラック、ドランといったパリの前衛たちを展示する「独立派たち」展を開催した。そこで展示されたド

ボフミル・クビシュタ《死の接吻》

1912年　油彩、カンヴァス　154.5×90cm
リベレツ・リージョナリー・ギャラリー

ボフミル・クビシュタは度々パリを訪れキュビスムの最新の動向から学んだ。特に彼は数学的な分析に魅了され、そのデッサンには多くの幾何学的な考察の跡が認められる。完成作は、伝統的な絵画主題をキュビスム風に幾何学化した特徴を持つ。本作も、死神に接吻をされ命を落とすという、キリスト教の新約聖書に起源を持つ図像を描くものである。

ヨゼフ・ホホール
「キュビスムの家」(1912-1913年)

ヨゼフ・ゴチャール
「黒い聖母の家」(プラハ)に展示されたゴチャールの家具(1913年):下2点とも

ゴチャールの代表作は、キュビスム建築「黒い聖母の家」と、そのなかの家具である。建築や家具は元来、幾何学的な構造を持つ。だがキュビスムはそこに、光のプリズムや結晶のような複雑な幾何学的装飾をもたらした。こうしたデザインには、デュシャン=ヴィヨンが「キュビスムの家」(29頁)のために提案したファサード(建築正面部)からの影響が認められる。

ランの《浴女たち》(20頁)は、やがて芸術家たちの寄付金によって購入され、長きにわたりチェコのキュビストにとっての象徴的な作品となった。

翌年にはマーネス芸術家連盟から分離した「造形家グループ」が形成され、フィラのような画家の他、ヨゼフ・ゴチャールやヨゼフ・ホホール、パヴェル・ヤナークといった建築家・デザイナーも参加した。このグループは『月刊芸術』誌を刊行し、グループの作品や、ピカソやブラックらのキュビスム作品(主に画商カーンヴァイラーが扱っていたもの)を紹介するだけでなく、美術史家でありキュビスム絵画のコレクターでもあったヴィンチェンク・クラマーシュの論考などを掲載した。また展覧会ではピカソやブラック、ドランの作品の他、ドレスデンを活動拠点としていたドイツ表現主義の運動である「ブリュッケ」の人々の作品も展示した。

他方マーネス芸術家連盟は、ピュトー派やモンパルナスのキュビストたちの作品を中心に紹介する展覧会を、詩人アレクサンドル・メルスローの組織のもと一九一四年に開催した。そこにクビシュタやホホールも作品を展示している。

チェコにおけるキュビスム受容の特徴は、絵画だけでなく建築や装飾芸術の分野まで多岐にわたったことである。

一九一二年のサロン・ドートンヌに展示された「キュビスムの家」よりも遥かにダイナミックな展開を見せたチェコのキュビスム建築は、プラハの街に建立され、歴史ある都市に近代的な外観を加えることになった。そこに置かれた家具もキュビスムの影響を受けたデザインだった。これらの革新的デザインを推進するために、ホホールとゴチャール、ヤナークは一九一二年にプラハ芸術工房を設立し、二年後にはドイツ工作連盟の展覧会に作品を出品した。

キュビスムと第一次世界大戦

戦争によって迎えた転換期

一九一四年に第一次世界大戦が始まると、ブラックやレジェといった若い芸術家たちは戦地へ向かった。なかにはグレーズのようにアメリカに亡命する者もいれば、ピカソのようにパリに留まる者もいた。

戦地での経験も様々だった。レジェは歩兵として前線に向かい、そこで機械がもたらす破壊的な暴力に慄くと同時に、オブジェを生み出す工兵たちの手の技に魅せられた。オーギュスト・エルバンやアンドレ・マールはカモフラージュ部隊に配属され、キュビスム的な実験を用いて、人体を自然と溶け込ませる戦術に貢献した。またアポリネールのように、戦地で頭に銃撃を受けながら生きながらえた者もいれば、デュシャン=ヴィヨンのように、前線で患った病気がきっかけで命を落とす者もいた。

第一次世界大戦をきっかけにナショナリズム的な機運が高まると、フランスにとっての敵国であったドイツに重要なコレクターを有していたキュビスムを、「ドイツ的なもの」であると批判する人々が、フランスに現れた。また過度な抽象的実験を避け規則的なものを求める「秩序への回帰」と呼ばれる傾向が、美術の分野でも文学の分野でも認められるようになる。

こうして第一次世界大戦前に生まれた多くの運動と同様に、キュビスムもまた、初めての近代戦争と言われるこの破壊的出来事によって大きな転換点を迎えることになる。

アンリ・ヴァランシ《ダーダネルス海峡の表現》
1917年　油彩、カンヴァス　128×161cm
現代国際資料図書館、ナンテール

キュビスムから展開させ、「ミュジカリスム」と名付けた独自の音楽的色彩理論を用いて、抽象的に第一次世界大戦の戦地を描いた作品。多彩な色を幾何学的に配置した装飾的な画面は一見すると壮麗だが、細部には怪我をした人物や砲丸の攻撃、墓など、戦争の暴力と死を想起させるモチーフが描かれている。

エドワード・ワズワース
《リヴァプールの造船所における迷彩模様の軍艦》
1919年　油彩、カンヴァス　304.8×243.8cm　カナダ国立美術館、オタワ

ヴォーティシズム（61頁）の画家であったワズワースは、本作においては、キュビスムや未来派の技法を感じさせるダズル迷彩の塗装を行った船を描いている。キュビスムや未来派の絵画の幾何学的な複雑な模様は、波間の船を敵の眼から隠すのに適していると考えられた。ただし本作のダズル迷彩は、波ではなく工場の幾何学的構造のなかに溶け込んでいる。

キュビスムとヴォーティシズム

イギリス独自の前衛運動

一九一〇年代のロンドンの人々にとって、大陸の前衛運動であるフランスのキュビスムやイタリアの未来派は、すでに海の向こうの出来事ではなくなっていた。画家であり批評家でもあったロジャー・フライは、一九一二年に開催した第二回ポスト印象派展で、キュビスムの芸術家たちの作品を紹介した。また一九一〇年末からは未来派の提唱者マリネッティがロンドンに度々滞在している。

キュビスムと未来派がロンドンに上陸するなかで、イギリス固有の前衛運動として登場したのが、「ヴォーティシズム」（渦巻派）である。その宣言は、第一次世界大戦勃発直前に創刊されたこの運動の機関紙『ブラスト』で発表された。

リーダーであったパーシー・ウィンダム・ルイスは、画家でもあり小説家でもあった。彼はヨーロッパの動向を学ぶために一九〇〇年代にヨーロッパを旅し、パリではその文化的・思想的動向に感化された。ロンドンに戻ってからは、芸術家であり批評家でもあったロジャー・フライのサークルに出入りし、キュビスムや未来派の影響を感じさせる抽象的な絵画を描くようになった。

ウィンダム・ルイスはフライが指導していた「オメガ工房」に参加するものの、やがてフライと仲違いし、一九一四年三月にはレベル芸術センターを設立した。これがヴォーティシズムの母体となる。参加者のなかには、詩人エズラ・パウンドや、画家エドワード・ワズワースがいた。またキュビスムの運動に関わっていたフランス生まれの彫刻家アンリ・ゴーディエ＝ブルゼスカや、アメリカ出身の彫刻家ジェイコブ・エプシュタインなども参加した。彼らはみな、近代的な機械文明と幾何学的様式に強く惹かれる点で、キュビスムや未来派の影響を受けた芸術家たちだった。同年五月にはこのセンターでマリネッティの講演会が開かれている。

パーシー・ウィンダム・ルイス《爆撃された砲兵中隊》
1919年　油彩、カンヴァス　182.8×317.5cm　帝国戦争博物館、ロンドン
ルイスは1917年に従軍画家として赴いた戦地での素描に依拠しながら、帰国後に本作を描いた。壁画サイズの戦争画である本作では、兵士たちは英雄的な姿ではなく、土と一体化しそうな幾何学的な形状を持つ匿名の存在として描かれている。前景左手に大きく描かれた3人の人物のうち、こちらに顔を向ける口髭の男は、ルイス自身である。

だがヴォーティシズムの機関誌『ブラスト』創刊号では、彼らの運動の「イギリス的」な独自性と、大陸の前衛運動との違いが強調された。この雑誌の宣言はまず、イギリスのヴィクトリア朝の文化が培った礼儀正しさ、続いてフランスの芸術的感受性を「爆破する（ブラスト）」ことを提案し、最終的には一四世紀イギリスの詩人チョーサーやイギリス・ルネサンス演劇を代表する劇作家ウィリアム・シェイクスピアに連なるようなイギリス的なものを「祝福（ブレス）」しようと呼びかけている。やがて戦争が始まると、ルイスやエプスタインを含め複数のメンバーは戦地に赴いた。なかにはゴーディエ＝ブルゼスカのように、前線で命を落とす者もいた。こうしてヴォーティシズムは短命な運動として終息した。

キュビスムとダダ

クルト・シュヴィッタース
《メルツ素描54　下落する数値》
1920年　水彩・ガッシュ・インク・鉛筆、紙・布
30×22.5cm　国立近代美術館、パリ

ハノーファ・ダダの芸術家シュヴィッタースは、1919年に、「商業（Kommerz）」の語尾から「メルツ（merz）」という文字列を抜き出し作品に取り入れるようになった。これが「メルツ絵画」の誕生である。戦後ドイツの貧困を象徴するような瓦礫や残余物から新しい造形を生み出すその手法は、後に建築的な作品群「メルツバウ」へと発展した。

ピカソをも挑発する急進的運動

永世中立国であったスイスのチューリヒは、第一次世界大戦の戦禍を逃れる知識人たちの亡命先の一つとなった。なかでも詩人フーゴ・バルを中心に、キャヴァレー・ヴォルテールに集った芸術家たちは、「ダダ」と呼ばれる前衛運動のグループを結成した。彼らは「反芸術」をモットーとし、マリオネット劇や不条理な演劇の上演、前衛的な詩の朗読など、様々な取り組みを繰り広げた。この運動に参加していた詩人トリスタン・ツァラが、一九一八年のダダ宣言で、「ダダは何も意味しない」と言っているように、不条理や無秩序、偶然性といった概念は、伝統的なものを徹底して否定するこのグループの人々の行動の指針を示すものだった。

やがてダダは、ドイツのベルリンやハノーファ、ケルンといった都市でも展開するようになる。さらにニューヨークでも、フランスから亡命していたデュシャンやピカビアが、「ニューヨーク・ダダ」と呼ばれる運動を展開した。

彼らのなかには、キュビスムから何らかの着想を得ながらも、それを否定し乗り越えることで独自性を見出そうとした芸術家が多くいた。ベルリン・ダダの芸術家であるジョージ・グロスやジョン・ハートフィールドは、写真を切り貼りして作成するフォトモンタージュの技法のなかに、ピカソのコラージュ作品を含む過去の芸術作品を組み込み、「修正された傑作」という連作を手がけている。キュビスムからニューヨーク・ダダの運動へと移行したピカビアも、キュビスムや、それを生み出したピカソを、様々なかたちで嘲弄し挑発する作品制作や著述活動を行っている。

とはいえ、伝統的な芸術作品には用いられなかった様々な素材を組み合わせたコラージュや、絵画平面への文字の導入など、ピカソやブラックらのキュビスム的実験に源流を持つ試みが彼らの重要な実践の一つになっていた。戦中・戦後の混沌のなかで、未来派やキュビスムに背を向け「秩序への回帰」と呼ばれる保守化の動きに同化する芸術家たちがいたなかで、ダダの芸術家たちは同じく未来派やキュビスムを否定しながら、それらの試みをさらにラディカルな方向へと追求していくことになるのである。

column 05

現実を超える現実？

現実と虚構が交錯する舞台

一九一七年、ピカソはパリのシャトレ座で上演されたバレエ・リュスの演目『パラード』の舞台装飾をした。台本はジャン・コクトー、音楽はエリック・サティが担当した。

ピカソがデザインしたキュビスム風の街が背景を飾るなか、キュビスム風の衣装を着た奇妙なマネージャーが登場するこの舞台に、人々は驚きを隠せなかった。しかもその垂れ幕のためにピカソがデザインしたのは、トランプ遊びに興じる喜劇役者たちと、その傍らのペガサス、そして梯子に登った猿に手を伸ばす翼の生えた少女といった人物たちの、具象的な姿だった。

現実と虚構、抽象的なデザインの衣装や街と実際の演者たちの肉体という、相反するものが混交するピカソの舞台装飾は、当時の人たちにとって目眩をも引き起こさせるようなものだっただろう。詩人アポリネールは、ピカソの舞台装飾のうちに、現実を超える現実、という意味を込めて、「超現実（シュルレエル）」的な要素を見出した。

『パラード』のパンフレットの序文に書かれたこの言葉は、やがて一九二四年には詩人アンドレ・ブルトンを中心とする詩人や芸術家たちによる運動シュルレアリスムにおける鍵語となる。ただしブルトンのキュビスムに対する見解は両義的なものだった。ジャック・ドゥセがピカソの《アヴィニョンの娘たち》の購入に踏み切った際には、ブルトンが助言役の一人として一役買っている。一九二八年の論考「シュルレアリスムと絵画」では、彼はキュビスムを生み出したピカソやブラックの実験的な試みを高く評価した。

ただしこの文章でブルトンは、それらを「キュビスム」という一時代の芸術現象として要約してしまうことに対する抵抗もまた示している。ブルトンは、「黄金分割」展に展示したようなキュビストたちの理論的美学には一切の共感を持たなかった。またブラックの作品の熱心なコレクターであったにもかかわらず、この画家が主張した「感情を修正する規則」の重要性については否定的であった。

パブロ・ピカソ《パラード》のための舞台衣装
（1917年）

アメデ・オザンファン、ル・コルビュジエと『キュビスム以降』

遺産の継承と限界突破

キュビスムの遺産をどのように継承し、またその限界をどのように乗り越えていくのか。戦後の芸術家たちのなかで、この問いに真剣に取り組み、「純粋主義(ピュリスム)」と呼ばれる運動を推進した芸術家に、アメデ・オザンファンとシャルル＝エドゥアール・ジャンヌレ・グリがいる。ジャンヌレは後に建築家ル・コルビュジエとして知られることになる人物である。

彼らは一九一八年に『キュビスム以降』と題した共著をコマンテール社より出版している。その内容は、オザンファンが一九一六年に執筆し『レラン』誌に掲載した論考「キュビスムについての覚書」を含むものであると同時に、それを発展させたものでもあった。

オザンファンは第一次世界大戦前にはアカデミー・ド・ラ・パレットでル・フォーコニエやメッツァンジェらから絵画の手解きを受けており、当時のキュビスム理論にも通じていた。一九一五年にオザンファンが創刊した『レラン』誌は、アポリネールやロートといった芸術家たちの協力を得ながら、当時ドイツ的なものと評されフランス国内で批判される傾向にあったキュビスムのフランス的側面を強調し、この芸術運動を擁護するものだった。だが彼がこの雑誌に掲載した「キュビスムについての覚書」では、すでにこの前衛運動が、絵画革命としては十分に機能していないことが指摘されている。

この批判は一九一八年の『キュビ

アメデ・オザンファン
《窓の前のカップ、グラス、ボトル》
1922年　油彩、カンヴァス　130.3×97cm
バーゼル市立美術館

「純粋主義」の時代のオザンファンの静物画の多くは、キュビスムを思わせる幾何学的な単純化や分析を特徴としながらも、より合理的な構図を特徴としている。例えば、モチーフの中心線を幾何学的分割の軸にする、多視点的な視点を乱用しない、などといった工夫がなされた。静物が置かれている空間も単純化されている。

ル・コルビュジエ《静物》

1920年　油彩、カンヴァス　80.9×99.7cm　ニューヨーク近代美術館

横と真上から見られた楽器やボトルの側面が、図面のように張り合わされ、平面性と立体性との対話が生み出されている。一番手前に描かれているのは開かれたまま垂直に立てられた本であるが、ページが塊となっており、あたかも石像彫刻のようだ。あらゆるモチーフが幾何学的に単純化されてはいるものの、それぞれのモチーフの関係性が生み出す空間表象そのものは複雑である。

スム以降』でも展開された。キュビスムの理論には人を困惑させるものがあるため、キュビスムの志を受け継ぎつつもよりロジカルで明快な科学的理論を構築することを主張した。こうした見解は、オザンファンが一九一七年のジャンヌレとの出会いをきっかけに培ったものでもある。二人の出会いは、画家オザンファンを産業的なモダニズムへと接近させ、合理主義的な観点を養ったのである。

二人の出会いは、ジャンヌレにとっては、キュビスムから着想を得た静物画の制作を試みるきっかけともなった。彼らはキュビスムよりもより整然とした方法で幾何学的に分割されたグラスやボトル、楽器を描き、そうした美学を「純粋主義」と呼んだ。やがて二人は一九二〇年に『レスプリ・ヌーヴォー（新精神）』誌を創刊し、彼らの「純粋主義」が絵画だけでなく建築や家具デザインといった近代生活全体に浸透するものであることを示した。

デ・ステイルとキュビスム

オランダ「新造形主義」の誕生

オランダではキュビスムの余波は「デ・ステイル」のグループと、その中核メンバーであるピート・モンドリアンが提唱した「新造形主義」の誕生に結び付いた。「デ・ステイル」とはオランダ語で「様式」を意味する語である。彼らは同名の雑誌を一九一七〜二八年まで刊行し、その理論の普及に努めた。

一八九〇年代から絵を描き始めたモンドリアンは、ネーデルランドの風景を自然主義的に描くことから出発し、象徴主義とキュビスムを経由して、最終的には抽象主義的な絵画へと到達した。なかでも彼は、一九一一年一〇月〜一一月にアムステルダムで開催された近代美術展でブラックやピカソの一九〇八〜〇九年の作品に衝撃を受け、その後の絵画の方向性を大きく変えた。やがてパリのモンパルナスに移住したモンドリアンは、一九一二年のサロン・デ・ザンデパンダンにキュビスム風の風景画と静物画を出品した。これらの作品はグレーズやレジェ、ル・フォーコニエ、メッツァンジェらと同じ部屋に並べられた。ただし彼は独自の絵画様式を展開し、一九一四年までには、グリッドにより画面を分割する抽象絵画に到達した。

やがてモンドリアンは、黒・白・赤・黄といった限定的な色を用いて、垂直と水平の線に枠取られた平面により構成された絵画を制作するようになる。彼はそうした美学を「新造形主義(ネオ・プラスティシズム)」という言葉で説明

ピート・モンドリアン
《色面のある楕円形のコンポジション2》
1914年　油彩、カンヴァス　113×84.5cm
デン・ハーグ美術館

モンドリアンがキュビスムから逸脱する傾向を示した初期の作品である。楕円形の枠組みには、ピカソやブラックの作品からの影響が認められるが、そこに描かれた作品には特定の主題はなく、完全な抽象絵画となっている。画面にちりばめられたグリッドの中は桃色や黄土色、灰色、水色で塗られ、独特のリズムを生み出している。

ピート・モンドリアン《大きな赤の色面と、黄、黒、灰、青のコンポジション》

1921年　油彩、カンヴァス　59.5×59.5cm　デン・ハーグ美術館

モンドリアンは色彩や線の様々な造形的実験を試みた末に、1920年頃から限定的な色彩で、単純な構図のグリッドの内部を彩るようになる。造形的な要素を極限まで単純なものに還元するこうした美学を、モンドリアンは「新造形主義」と名付けた。

した。新造形主義とは、具象的な対象を表象するのではなく、彩られた絵画表面そのものを一つの造形的な「現実」として提示する態度である。単純な色や色彩から構成されるこの造形言語は、普遍的な性質を持つものとして理解された。

一九一六年頃から抽象絵画を描き始めていたテオ・ファン・ドゥースブルフもまた、モンドリアンの美学に共鳴し、デ・ステイルの中心的メンバーとなる。彼は絵画制作だけでなく、ステンドグラスのデザインや、若い建築家であったコーネルアス・ファン・エーステレンとのコラボレーションによる建築デザインなども行っている。

グループには他にも、ヘリット・リートフェルトのように、建築デザインだけでなく家具デザインを手がけた人物もいた。デ・ステイルの美学は、その抽象主義によって、近代的な生活スタイルの国際的で普遍的な様式となることを目指したのである。

キュビスムと抽象芸術

abstraction
création
art non
figuratif 1932

arp page 2
baumeister 3
boothy 4
buchholster 5
calder 6
delaunay r. 7
delaunay s. 8
dreier 9
constein 10
foltyn 12
freundlich 13
gabo 14
gleizes 15
gorin 16
hélion 17
herbin 19
hone 20
jelinek 21
jellett 22
kupka 23
moholy-nagy 24
mondrian 25
moss 26
pevsner 27
power 28
prampolini 29
roubillotte 30
séligmann 31
schiess 32
schwitters 33
strzewski 34
strzeminski 35
taeuber-arp 36
tutundjian 37
valmier 38
van doesburg 39
vantongerloo 40
villon j. 42
vordemberge 43
wadsworth 44
werner 45

prix 15 francs

『抽象-創造　非具象芸術』第1号表紙（1932年）

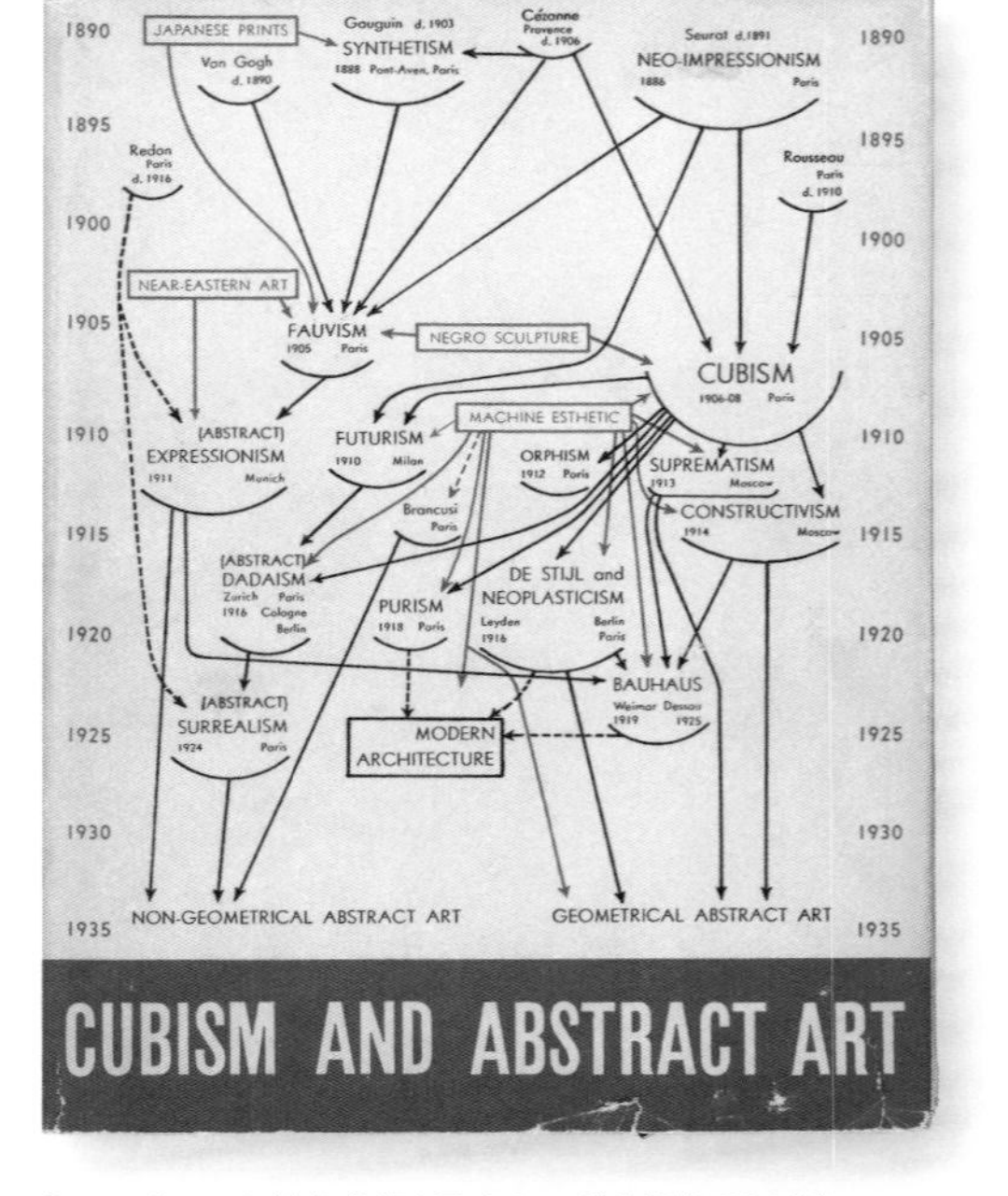

『キュビスムと抽象芸術』展カタログ表紙（1936年）

国境を越えた抽象への関心

キュビスムの芸術家のなかには、ピカソのように完全な抽象主義絵画を描くことに抵抗を示した者もいたが、それでもキュビストたちやキュビスムの影響から独自の道に進んだ芸術家たちのなかには、抽象芸術運動に参加する者も多くいた。一九一〇年代にはすでに、ロシア構成主義やデ・ステイルといった運動が誕生している。

こうして抽象芸術への関心は国境を越えた広がりを見せたために、一九二〇年代から三〇年代にかけて、複数のグループの芸術家たちを集めた国際的な集団が形成されるようになる。その例としては一九二九年にベルギーの芸術家であり批評家でもあったミシェル・スフォールとウルグアイ人の画家ホアキン・トレス＝ガルシアらにより創立されたグループ「セルクル・エ・カレ（円と正方形）」が挙げられる。そこには、レジェやカンディンスキー、アルプ夫妻、シュヴィッタース、モンドリアン、ル・コルビュジエ、オザンファンなど、多様な方面から抽象的表現に関心を抱く画家たちが集った。だがその活動は一年しか続かなかった。

「セルクル・エ・カレ」と同時期に雑誌『アール・コンクレ（具体芸術）』の発行に尽力したドゥースブルフは、翌年には、オーギュスト・エルバンらとともに抽象主義に関心を寄せる芸術家たちに呼びかけ、新しい国際的な運動「抽象‐創造（アブストラクシオン‐クレアシオン）」を創立した。ただしドゥースブルフはグループ設立の準備段階で没してしまったため、代わりにデ・ステイルの彫刻家ジョルジュ・ファントンヘルローが中心的な役割を担うことになった。最初は四十名ほどだったメンバーも、最終的には百人ほどのグループへと拡大することになる。そこに属していたメンバーも、「セルクル・エ・カレ」の画家たち以外に、クプカやアルベール・グレーズ、ドローネー夫妻、ジョゼフ［ヨゼフ］・アルバース、モホイ＝ナジ・ラースロー、岡本太郎など、多様な国籍の芸術家たちが参加した。

一九三六年にニューヨーク近代美術館で開催された「キュビスムと抽象芸術」展では、このような抽象芸術の誕生と展開においてキュビスムがいかに重要な役割を果たしたのかが示された。カタログの表紙にはそのことを明示するようなダイアグラムが掲載された。

一九三九年には、ドローネー夫妻のアトリエでの集いに参加していた芸術家たちを集めた「レアリテ・ヌーヴェル（新現実）」展が開催され、第二次世界大戦後に新たに設立されるサロン・デ・レアリテ・ヌーヴェルの原型となった。一九四六年に誕生したこのサロン（第一回展示会は翌年）には、ソニア・ドローネーやグレーズ、オーギュスト・エルバンといったキュビスムの画家たちが参加する一方、フランス人画家ジャン・ドゥヴァンヌやハンガリー系フランス人のヴィクトル・ヴァザルリのような新しい世代の芸術家たちも参加した。

セルジュ・ポリアコフ《青のコンポジション》

1964年　油彩、カンヴァス　46.2×38.2cm　国立近代美術館、パリ

モスクワ生まれのポリアコフは1920年代にパリに移住し、1935年に訪れたロンドンではエジプト美術に惹かれ抽象芸術の道を歩むことになった。再びパリに戻ると、カンディンスキーやドローネー夫妻との交流を通してさらに抽象的傾向を強め、1947年には第1回サロン・デ・レアリテ・ヌーヴェルに参加した。この時にはすでに、本作に認められるような、輪郭線のない色彩の平面的表現による抽象様式を確立していた。

1925年の博覧会とアール・デコ様式

絵画や彫刻を超えて

キュビスムにその源流の一つを持つ複数の抽象芸術運動の展開において顕著なのは、多くの場合、それが絵画や彫刻だけでなく、家具デザインや建築の分野をも包括するような動きとなっていったことだ。

一九二五年にパリで開催された「現代装飾美術・産業美術国際博覧会」、通称「アール・デコ博」は、当時の人々にとって、現代芸術と装飾芸術の展開の結実を目の当たりにする場となった。とりわけル・コルビュジエとオザンファンが指揮をとった「新精神館」では、ル・コルビュジエがデザインした建築空間に、彼のデザインした家具と、キュビスムの芸術家たちによる作品が置かれ、近代デザインとキュビスムとの親和性を強調する場となった。

アール・デコ博に展示された建築や家具は他にも、幾何学的なデザインの強調や、機能性の重視など、いくつかの共通点を持っていたために、「アール・デコ様式」という呼称が生まれた。モダン建築を牽引する存在だったロベール・マレ＝ステヴァンスは、観光情報館などを設計し、キュビスム風の彫刻を制作していたマルテル兄弟の作品を配置した。装飾芸術家協会の指揮により「フランス大使館」をテーマにして実現したパヴィリオンでも、マレ＝ステヴァンスによるエントランス・ホールや、家具デザイナー、ピエール・シャローによる書斎など、機能的で近代的なデザインが提案されている。後者の書斎で、シャローのデザインによる黒檀のデスクの下を飾ったのは、キュビスムに影響を受

ル・コルビュジエ「新精神館」（1925年）

自身がオザンファンとともに1920年に創刊した雑誌からその名をとった「新精神館」のために、ル・コルビュジエは機能主義に根差したモダン建築を設計した。その壁を飾ったのは、レジェやオザンファン、コルビュジエの絵画作品だった。またローランスやリプシッツの彫刻が置かれた。

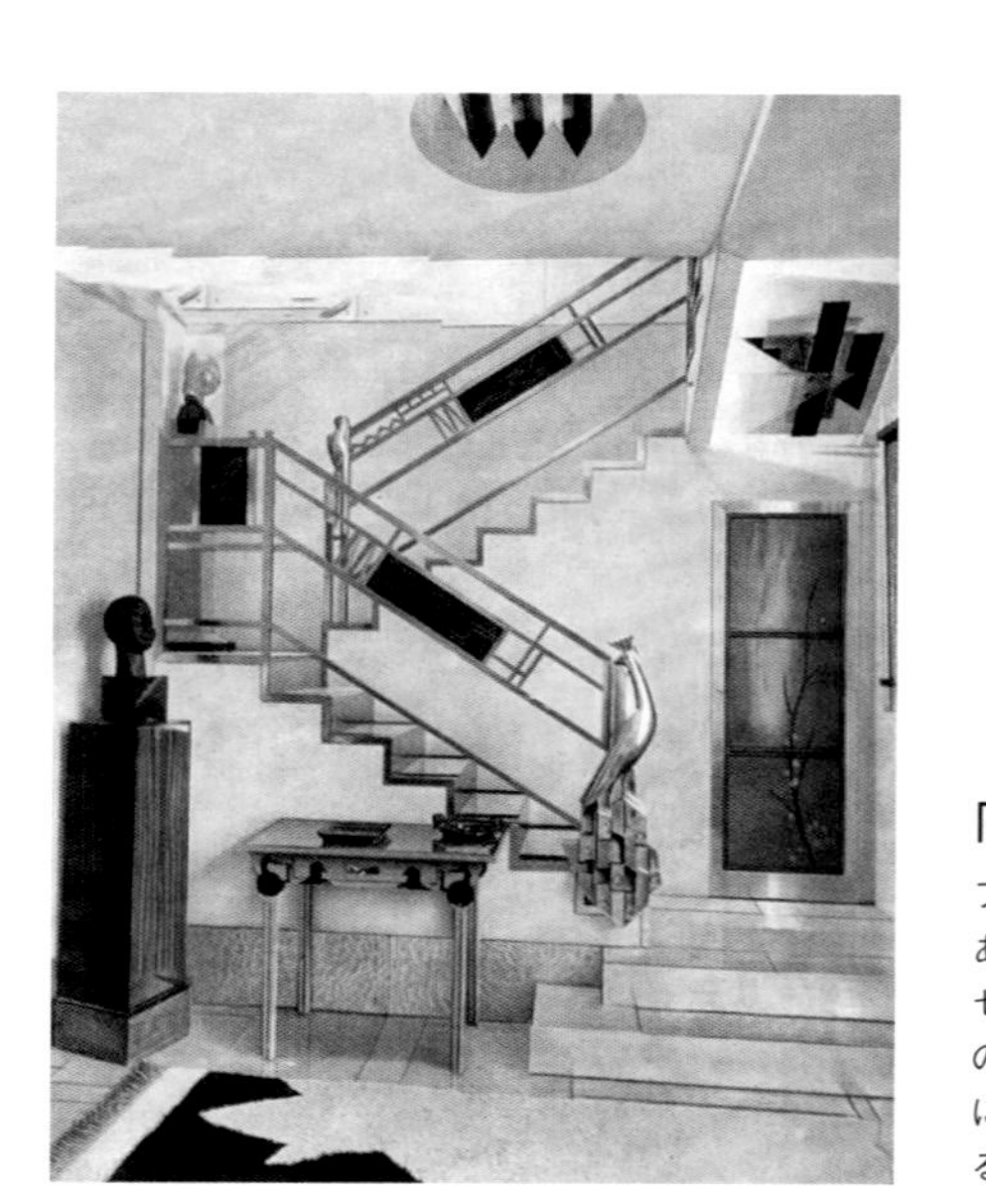

「ジャック・ドゥセの私邸」（1927年）

ファッション・デザイナーであり、前衛芸術のコレクターでもあったドゥセは、ヌイイ＝シュル＝セーヌの私邸の装飾を、ジョゼフ・チャーキやローランス、リプシッツといったキュビスムの芸術家たちに注文した。それらのモダンなデザインは、邸宅に置かれたピエール・ルグランやアイリーン・グレイらの手よるアール・デコ様式の家具と調和するものだった。

タマラ・ド・レンピッカ《自画像》
1928年　油彩、板　35×27cm　個人蔵
ロシア帝国支配下のポーランドで生まれたレンピッカは、ロシア革命を機にパリに移住し、モーリス・ドニとアンドレ・ロートに絵画を習った。彼女の作品を特徴づける装飾性や、キュビスムの近代的表現とドミニク・アングル風の古典的表現とを融合させた描写は、これらの師の教えを独自に発展させたものであり、アール・デコ様式とも結び付けられる。本作では、解放された女性を象徴する車と同様、彼女自身の身体もまた金属的な輝きを放っている。

けた芸術家ジャン・リュルサの手による絨毯だった。

こうしてアール・デコ博は、モダニズム美術との結び付きによる新しい生活スタイルの提案に寄与することになる。それは芸術とデザインの垣根を超えた新たな集団的取り組みの予兆でもあった。一九二九年に設立された現代芸術家組合（略してUAM）には、ル・コルビュジエやマレ＝ステヴァンス、シャローの他に、レジェやソニア・ドローネー、ハンガリー出身のキュビスムの彫刻家ジョゼフ・チャーキも参加した。

もちろんアール・デコ様式は、一九二〇年代に突然生まれたわけではない。ウィーン工房（一九〇三年に設立）やドイツ工作連盟（一九〇七年に設立）における応用芸術の発展、そうした発展を受けてフランスでも高まった簡素なデザインへの嗜好とルイ・フィリップ様式の再評価は、重要な背景になっている。アンドレ・マールが一九一二年に指揮した「キュビスムの家」も、まさにこうした流れに与している。第一次世界大戦前に存在したこれら一連の動向は、すでにアール・デコ様式の重要な礎の一部となっていたのである。

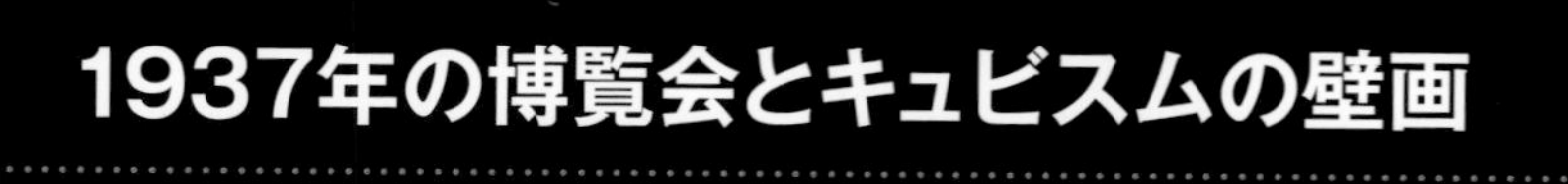

1937年の博覧会とキュビスムの壁画

フェルナン・レジェ《諸力の輸送》
1937年　油彩、カンヴァス　491×870cm　パリ国立造形芸術センター

レジェが発明館のために描いた本作においては、工事現場や機械の内部を想起させるような幾何学的なデザインに、山や虹、湖といった自然が溶け合うかのような光景が描かれている。灰色の不定形の浮遊物は、工場の煙なのか雲なのか判別がつかない。機械の力強い動きと雄大な自然との対話から、科学の進歩が生まれる様が描かれている。

公的な評価を確立

一九三〇年半ば以降には、キュビスムは近代フランスを代表する前衛芸術の一つとして公的な位置づけを与えられるようになっていた。この時期、キュビスム作品がリュクサンブール美術館のコレクションに入り始めたことは、その表れである。そうした最中に行われたのが、一九三七年のパリ国際博覧会だった。博覧会にあわせてプティ・パレ美術館で開催された「独立派美術の巨匠たち（一八九五～一九三七年）」展には、ピカソやブラック、グリス、グレーズ、レジェ、メッツァンジェらの作品が展示された。またジュ・ド・ポーム（現在のジュ・ド・ポーム国立美術館）では「国立独立派芸術の諸起源と発展」展が開催され、ポスト印象派からキュビスムまでの第一次世界大戦前の前衛芸術だけでなく、ダダやデ・ステイルなど両大戦間期にも展開された芸術が、アフリカやオセアニアの造形物とともに展示された。

キュビスムの芸術家たちはこの博覧会に別のかたちでも貢献した。彼らは発明館や航空館といった会場の壁画装飾を行っている。一九二五年のアール・デコ博で、装飾芸術のうちに大きな可能性を見出したレジェは、発明館と農業館の壁画装飾に関わった。また航空館の装飾にあたっては、マレ=ステヴァンスから壁画制作の注文を受けたロベール・ドローネーの呼びかけにより、ソニア・ドローネーやグレーズ、シュルヴァージュも協力した。彼らはこうした活動によって、その芸術が私的な邸宅を飾るためのものであるだけではなく、公的な空間を彩る社会的な意義を持つものであることをも、示そうとした。

反戦と平和の象徴《ゲルニカ》

同様にして、同時代の政治的な出来事に向けられた関心から生まれたのが、この博覧会のスペイン館のためにピカソが制作した大作《ゲルニカ》である。一九三七年初頭にスペイン共和国から壁画制作の依頼を受けたピカソは、同年四月のナチスによるゲルニカ爆撃の知らせを受け、その惨劇を伝える作品の構想を開始する。結果誕生した、横七メートルを超えるモノクロームの巨大な画面は、必ずしも当時の鑑賞者たちに十分に理解されたわけではなかった。そのタイトルから、本作がゲルニカ爆撃を主題にしたものであることは明らかであったのだが、爆撃の場面を写実的に伝える作品ではなかったために、ピカソの真意を理解しようとした者は、限られていたのである。ピカソ風の難解な表現様式が用いられていることも、大衆からの理解と評価を妨げた。またその複雑な構想から、個々のモチーフには様々な解釈がなされている。ピカソの他の作品では暴力的な存在として描かれることの多い雄牛でさえも、ここではなすすべもなく佇んでいるように見える。

パブロ・ピカソ《ゲルニカ》

1937年　油彩、カンヴァス　349.3×776.6cm
ソフィア王妃芸術センター、マドリード

本作の画面は、大きな三角形の構図としてまとめられている。その頂点に位置するのが、建築物の窓から女性が差し出す蝋燭と、空に浮かぶ人工の太陽（内部に電球が描かれている）である。これらの光は、叫び声を上げる女性たちや兵士、馬や牛の絶望する姿を煌々と照らし出している。

スペイン内戦の悲劇を伝えるこの絵画は、やがて反ファシストの象徴としてイギリスで巡回展示され、さらに海を越えてニューヨーク近代美術館に展示されるなかで、反戦と平和の象徴としての位置づけを獲得した。スペインで長らくファシズム政権を率いていたフランコが一九七五年に死去すると、この絵画はスペインに返還され、マドリードのプラド美術館別館の所蔵となった。一九九二年にはソフィア王妃芸術センターに移され、現在に至る。

キュビスムと日本

日本における受容と展開

日本の前衛画家たちのなかにも、キュビスムに関心を抱き、その芸術に着想を得た作品を制作する者たちがいた。その存在を初めて日本の人々に報じたのは、洋画家の石井柏亭が掲載した一九一一年七月二二日付の『東京朝日新聞』の記事である。石井柏亭は一九一一年のサロン・デ・ザンデパンダンで、ピュトー派やモンパルナスのキュビストたちの作品を目にし、その新鮮な驚きを文章とスケッチにより伝えた。一九一三年には、与謝野鉄幹がフランスから持ち帰ったロートやメッツァンジェの作品が、白樺主催美術展覧会で展示された。

その後相次いで発表されたキュビスムについての記事や、フランスのキュビスム作品を紹介する複数の展覧会は、萬鉄五郎や東郷青児といった日本の画家たちに刺激を与えた。彼らはその画業の一時期において、キュビスムを試みた作品を制作している。

第一次世界大戦後には、パリで画

坂田一男《キュビスム的人物》
1925年　油彩、カンヴァス　90×65.1cm　岡山県立美術館
人体を円錐や円柱に還元し、金属のような銀色の輝きを与える本作は、レジェのキュビスム絵画のなかでも、第一次世界大戦従軍直後の作品からの影響を強く感じさせる作品である。とはいえ坂田の作品における光の照り返しの表現はレジェの作品ほど劇的なものではなく、桃色や緑、黄土色の色づかいも極めて優しく互いに調和している。

萬鉄五郎《もたれて立つ人》
1917年　油彩、カンヴァス　162.5×112.5cm　東京国立近代美術館
身体の形状はキュビスム風に歪曲され、緑の髪を結い上げた頭部の表現もまた仮面のように様式化されている。空間構成が曖昧な背景表現も、キュビスム絵画の典型的特徴である。しかし肘をついて片足を上げる姿勢がはらむ緊張感や、そうした姿勢のせいで柔らかくたわんだ片方の乳棒と腹の形の表現などには、不思議と現実感が宿っている。

Photo: MOMAT/DNPartcom

塾を開いていたロートやレジェなどのキュビスムの画家に直接師事し、キュビスム風の作品を描くようになった黒田重太郎や坂田一男などの画家も登場した。ロートの美学を日本に紹介する役割を果たしつつも、一時期のみしかキュビスム絵画を描かなかった黒田に対し、坂田はレジェから学んだキュビスム的精神と、当時レジェが関わっていたオザンファンらの純粋主義的な美学とを受け継ぎ、生涯にわたってキュビスム絵画を描き続けることになった。

他にも、未来派やヴォーティシズム、ダダ、アール・デコなどを経由してキュビスムの作風やデザインに接近する芸術家が、日本には存在した。本書を通して概観したように、キュビスムそのものが、その歴史のなかで変容し、多様化し、創造的に受容されてきた芸術だったために、誰のどのような作品とどのように触れたのかという諸条件によって、日本におけるその受容のあり方も様々だったのである。

例えば一九三〇年代をパリで過ごした岡本太郎は、抽象-創造（アブストラクシオン-クレアシオン）の抽象芸術運動に参加しつつ、合理主義的な抽象芸術の対極に位置づけられていたシュルレアリスム絵画からも刺激を得た画家である。「対極主義」と岡本自らが名付けたその美学は、岡本のみに認められる思想であるというよりも、むしろキュビスムの生みの親であるピカソ自身の多様な様式展開の本質を成すものであった。キュビスム様式を離れてなお、その革新的な実験を突き詰め、異なる様式を果敢に取り入れていくピカソの姿勢は、ピカソがキュビスムを生み出した際の原動力そのものであった。岡本はその原動力を自らのものとし、対極主義を突き詰めつつ、まさにそのことによってこそ、ピカソを乗り越えるための道を模索したのである。

山本敬輔《ヒロシマ》

1948年　油彩、布　180×224.2cm　兵庫県立美術館

ピカソの《ゲルニカ》(74頁)は、第二次世界大戦前後の日本の芸術家たちに影響を与えた。本作は、断片的なイメージを統合するキュビスム的技法と、作者の内面を暗示するシュルレアリスム的姿勢の双方を《ゲルニカ》から取り入れつつも、舞台を日本における被爆地に置き直した作品である。人物の白い肌と黒い影の対比、また背景の暗い街と明るく光り輝く雲の対比は、一瞬にして人々を襲った原爆投下の場面を表現している。

本書掲載の芸術家

(生没年)

ポール・セザンヌ	1839-1906
アリス・バイイ	1872-1938
ピート・モンドリアン	1872-1944
ジャック・ヴィヨン	1875-1963
レイモン・デュシャン=ヴィヨン	1876-1918
カジミール・マレーヴィチ	1878-1935
ジャン・クロッティ	1878-1958
レオポルド・シュルヴァージュ	1879-1968
フランツ・マルク	1880-1916
ヨゼフ・ゴチャール	1880-1945
アンドレ・ドラン	1880-1954
ヨゼフ・ホホール	1880-1956
マリア・ブランシャール	1881-1932
アンリ・ル・フォーコニエ	1881-1946
アルベール・グレーズ	1881-1953
フェルナン・レジェ	1881-1955
セルジュ・フェラ	1881-1958
マックス・ウェーバー	1881-1961
ナタリア・ゴンチャロヴァ	1881-1962
ミハイル・ラリオーノフ	1881-1964
パブロ・ピカソ	1881-1973
パーシー・ウィンダム・ルイス	1882-1957
オーギュスト・エルバン	1882-1960
ジョルジュ・ブラック	1882-1963
ジャン・メッツァンジェ	1883-1956
マリー・ローランサン	1883-1956
アンリ・ヴァランシ	1883-1960
ジーノ・セヴェリーニ	1883-1966
ボフミル・クビシュタ	1884-1918
ジュリエット・ローシュ	1884-1980
萬鉄五郎	1885-1927
ロベール・ドローネー	1885-1941
エレーヌ・エッティンゲン	1885-1950
ウラジミール・タトリン	1885-1953
アンリ・ローランス	1885-1954
アンドレ・ロート	1885-1962
ソニア・ドローネー	1885-1979
ディエゴ・リベラ	1886-1957
アメデ・オザンファン	1886-1966
フアン・グリス	1887-1927
クルト・シュヴィッタース	1887-1948
アレクサンダー・アーキペンコ	1887-1964
ル・コルビュジエ	1887-1965
マルセル・デュシャン	1887-1968
オシップ・ザツキン	1888-1967
ジョゼフ・チャーキ	1888-1971
リュボーフィ・ポポーワ	1889-1924
エドワード・ワズワース	1889-1949
坂田一男	1889-1956
シュザンヌ・デュシャン	1889-1963
スタントン・マクドナルド=ライト	1890-1973
フォルチュナート・デペロ	1892-1960
タマラ・ド・レンピッカ	1898-1980
セルジュ・ポリアコフ	1900-1969
ナディア・レジェ	1904-1982
山本敬輔	1911-1963

掲載作品索引

（作家別50音順）

作家名	作品名	掲載頁
アーキペンコ，アレクサンダー	カルーセル・ピエロ	42
ヴァランシ，アンリ	ダーダネルス海峡の表現	60
ヴィヨン，ジャック	行進中の兵士たち	28
ウェーバー，マックス	四次元のインテリア	57
エルバン，オーギュスト	細道とセレの家	40
オザンファン，アメデ	窓の前のカップ、グラス、ボトル	64
クビシュタ，ボフミル	死の接吻	58
グリス，フアン	化粧台	39
グレーズ，アルベール	浴女たち	24
クロッティ，ジャン	お茶会	31
ゴチャール，ヨゼフ	「黒い聖母の家」に展示されたゴチャールの家具	59
ゴンチャロヴァ，ナタリア	豊穣の神	52
坂田一男	キュビスム的人物	76
ザツキン，オシップ	彫刻家	43
シュヴィッタース，クルト	メルツ素描54　下落する数値	62
シュルヴァージュ，レオポルド	ヴィルフランシュ=シュル=メール	46
セヴェリーニ，ジーノ	ポール・フォールの肖像	50
セザンヌ，ポール	大水浴	7
タトリン，ウラジミール	「第三インターナショナル記念塔」の模型	54
チャーキ，ジョゼフ他	ジャック・ドゥセの私邸	70
デペロ，フォルチュナート	バレリーナとオウムの回転	50
デュシャン=ヴィヨン，レイモン	大きな馬	29
	キュビスムの家	29
デュシャン，シュザンヌ	犬を連れた少女	31
デュシャン，マルセル	階段を降りる裸体　No. 2	30
ドラン，アンドレ	浴女たち（1907年　ニューヨーク近代美術館）	20
	浴女たち（1908年　プラハ国立美術館）	20
ドローネー，ソニア	バル・ビュリエ	36
ドローネー，ロベール	パリ市	37
	街に開かれた同時的窓	37
バイイ，アリス	自画像	47
ピカソ，パブロ	アヴィニョンの娘たち	6
	アプサントのグラス	12
	ガートルード・スタインの肖像	21
	ギター（コンストラクション）	12
	ギターとグラス	13
	ゲルニカ	74
	女性胸像	8
	《パラード》のための舞台衣装	63
	窓辺の静物　サン=ラファエル	14
	マンドリンを持った少女	11
フェラ，セルジュ	パイプとグラスのあるコンポジション	45
ブラック，ジョルジュ	家々と木	7
	J. S. バッハへのオマージュ	16
	マンドリンを持つ女	15
ブランシャール，マリア	キュビスムのコンポジション	44
ホホール，ヨゼフ	キュビスムの家	58
ポポーワ，リュボーフィ	ヴァイオリン	53
ポリアコフ，セルジュ	青のコンポジション	69
マクドナルド=ライト，スタントン	静物のシンクロミー	56
マルク，フランツ	狐たち	51
マレーヴィチ，カジミール	木こり	54
	モナ・リザのある構成	55
メッツァンジェ，ジャン	カフェの踊り子	26
	ティー・タイム（味覚）	33
モンドリアン，ピート	大きな赤の色面と、黄、黒、灰、青のコンポジション	67
	色面のある楕円形のコンポジション2	66
山本敬輔	ヒロシマ	77
萬鉄五郎	もたれて立つ人	76
ラリオーノフ，ミハイル	グラス	52
リベラ，ディエゴ	サパティスタの風景　ゲリラたち	57
ルイス，パーシー・ウィンダム	爆撃された砲兵中隊	61
ル・コルビュジエ	新精神館	70
	静物	65
ル・フォーコニエ，アンリ	豊穣	27
レジェ，ナディア	自画像に囲まれたナディア・レジェ（撮影：アイダ・カー）	35
レジェ，フェルナン	形態のコントラスト	34
	諸力の輸送	72
	バレエ・メカニック	35
レンピッカ，タマラ・ド	自画像	71
ローシュ，ジュリエット	ブレヴート	25
ロート，アンドレ	デュオニソスの巫女	41
ロビダ，A	新しい流派	33
ローランサン，マリー	空想好きな女性	19
ローランス，アンリ	ラム酒の瓶	43
ワズワース，エドワード	リヴァプールの造船所における迷彩模様の軍艦	60

フェルナン・レジェ《バレエ・メカニック》（部分、35頁）

著者

松井裕美〈まつい・ひろみ〉

東京大学准教授。博士（美術史／パリ西大学ナンテール・ラ・デファンス校）。第5回名古屋大学石田賞（2016年）、第32回和辻哲郎文化賞（2020年）、令和3年度神戸大学優秀若手研究者賞（2021年）受賞。日本学術振興会特別研究員、名古屋大学大学院文学研究科特任講師、名古屋大学高等研究院特任助教、神戸大学大学院国際文化学研究科専任講師などを経て現職。主な著・訳書に『キュビスム芸術史――20世紀西洋美術と新しい〈現実〉』（名古屋大学出版会、2019年）、デイヴィッド・コッティントン『現代アート入門』(翻訳・解説、名古屋大学出版会、2020年)、『古典主義再考Ⅰ、Ⅱ』（共編著、中央公論美術出版、2021年）、カジャ・シルヴァーマン『アナロジーの奇跡――写真の歴史』（共訳、月曜社、2022年）、『レアリスム再考――諸芸術における〈現実〉概念の交叉と横断』（三元社、2023年）など。

本文・カバーデザイン
島内泰弘デザイン室

シリーズタイトルデザイン
幅 雅臣

編集
橋本裕子

写真提供・協力
岡山県立美術館
兵庫県立美術館
National Gallery of Art, Washington
National Portrait Gallery, London
アフロ、サイネットフォト、DNPアートコミュニケーションズ

掲載図版のなかに、連絡先が不明のため、所蔵者、著作権者に掲載許可を得ていないものがありますが、本書論述の参考図版として必要なものであるため、掲載いたしました。お心当たりのある方は、ご一報ください。

DR
Percy Wyndham Lewis（1882-1957）
Goncharova Nataliya Sergeyevna（1881-1962）
Mikhail Larionov（1881-1964）
Stanton Macdonald-Wright（1890-1973）
Sonia Delaunay（1885-1979）

アート・ビギナーズ・コレクション
もっと知りたい **キュビスム**

2023年10月30日　初版第1刷発行
2024年 4 月30日　初版第2刷発行

著　者　松井裕美
発行者　大河内雅彦
発行所　株式会社東京美術
〒170-0011
東京都豊島区池袋本町3-31-15
電話　03(5391)9031
FAX 03(3982)3295
https://www.tokyo-bijutsu.co.jp
印刷・製本　大日本印刷株式会社

乱丁・落丁はお取り替えいたします
定価はカバーに表示しています

ISBN978-4-8087-1287-7 C0070

United Kingdom
Nether lands
Germany
Russia
France
Swiss
Italy